[中學生]

晨讀10分鐘

世界和你想的不一樣

褚士瑩 選編

目錄

第二章——人際關係和你想的不一樣

第三章——學校和你想的不一樣

我想學會怎麼使用這個世界

文／褚士瑩

我們希望自己成為一個擁有「知識」的人，還是一個擁有「智慧」的人？

當然，人類都很貪心，希望能夠兩全其美，但是很可惜，「完美」在這個真實的世界上，是不存在的。如果你只能兩者中選擇其一呢？

幾乎所有的人都會毫不猶豫的說：「我想要當一個有智慧的人」，而且古今中外的聖賢，到我們的師長父母，也都是這麼說的。

但在傳統的學校教育裡，所有的科目、課綱、教科書、升學標準，究竟是在引導我們成為一個有知識的人，還是一個有智慧的人？

這個答案，也非常的明顯，如果我們從小到大在學校的表現優異，我們就會變成一個有知識、而且很會考試答題的人。

但知識的用處，往往只有「一下子」。比如說，花很長的時間背了化學元素表，這輩子就只會用在考試的那一下子。

如果沒有這「一下子」的用處，我們真的能夠說出，為什麼每一個學生在中學都必須「背誦」化學元素表的理由嗎？為什麼不能要用的時候再查呢？

為什麼外國的小孩不用背九九乘法表，但並沒有因此而學不會乘法，或是缺少偉大的數學家呢？

如果問老師或家長，你認為他們真的知道原因嗎？

而且隨著科學的進步，連化學元素表也要隨著新的化學元素不斷被發現，而不斷的更新，甚至連教科書都來不及改。考試的時候，我們真的確知所謂的「標準答案」並沒有過時嗎？

就像很多其他的知識，過去正確的，現在被證明是錯誤的，現在被認為正確的，以後可能又被推翻。比如過去的人普遍都相信「地平說」，現在的人則說地球是圓的，但是我認識的一位地理老師，卻告訴我地球是「扁圓形」才對。到底誰才是對的？有沒有可能，這三種說法都是錯誤的？

知識會不斷累積，世界不斷改變，所以大多數知識的正確性只能維持一下子，比如說地球的總人口有多少，在地球上絕跡的生物又有多少，這種不斷快速變化的知識，無論再有用，也都只能有用一下子。

但如果我們可以知道如何去「思考」這個世界上，每一件我們原本不知道的事情，幫助我們從原本不知道變成知道，那該有多好？

這種「超能力」，其實我們從小就有。我們可不是還不識字時拿起手機，摸一摸就知道怎麼使用了嗎？如今只要打開線上遊戲，無論介面是什麼語言，試一試就知道怎麼玩了，不是嗎？

我們，之所以有這種「超能力」，是因為我們沒有把這些東西當成有標準答案的「知識」來看待，拿在手上把玩，從整體的「觀察」開始，找到跟我們熟悉的事物的「共通性」後，發現這個新事物的「本質」（這是一個玩具！），然後產生了各式各樣的「假設」（我如果這兩個鈕同時按下去會怎麼呢？）經過一步一步的「驗證」後，我們「分析」這些結果，然後「歸納」出一套規則，變成一套可以反覆運用的「系統」，這種「超能力」，其實有一個我們都聽過的名字，叫做「邏輯思維」。

如果把手機當成知識，就會像很多阿公阿嬤，努力寫了密密麻麻的筆記學習使用手機的功能，卻還是不知道怎麼用簡訊傳圖片。

如果把線上遊戲當成知識，必須照著攻略本一步一步操作，肯定不會變成玩家。

所以一個在看產品說明書當中得到樂趣的人，是一個喜歡「知識」的人，而一個把說明書放在一邊，喜歡自行去探索的人，則是一個喜歡「智慧」的人。

知道怎麼運用「智慧」的人，面對新事物就不只是在「學習」，而是「學會如何學習」，所以無論世界如何變化，都可以運用這個能力，去「想」懂任何一件未知的事物。

相較於知識只可以用「一下子」，思考能力可以用「一輩子」，永遠不會被世界淘汰。

教育當局頒布的「課綱」，其實也是知識的一種，所以當然也會像其他的知識一樣，隨著時代進步不斷改變，但只要觀察每一個時代新版本的課綱，就會發現其實每一步都在試著帶領傳統學校的教育，慢慢的從只能有用「一下子」的知識，移轉到可以有用「一輩子」的邏輯思維智慧。

這本《晨讀10分鐘：世界和你想的不一樣》就是從最新課綱的「閱讀素養」出發來設計的，顛覆「閱讀是為了能夠從中學習知識」的舊思維，進化成「閱讀是一種學習邏輯思維的工具」的新思維，來看待這個從來沒有停止變化的世界，以及從出生以後就從來沒有停止變化的自己。

所以這本書中，每一篇文章都擷取世界一個獨特的面相，文章最後不但沒有提供任何看待這個世界的「正確答案」，反而引發很多的「提問」，而這些問題，都可以讓我們使用不同的邏輯思考工具，抽絲剝繭去想得更深、更細、也更根本。

閱讀這本書不需要求快，甚至沒有所謂的「看完」，實際上，只要翻開其中一頁，針對其中一句話，使用書中介紹的思考工具，深入想十分鐘，也可以是很棒的使用方法之一。

有思考的閱讀過程，雖然燒腦，卻可以是充滿趣味的——即使最後什麼答案都沒有，也可以很棒，就像我們手機裡一款心愛的遊戲，即使最後的結果是刪除，但是在探索的過程中，帶給我們的樂趣是無比真實的，不是嗎？

學會了思考，就學會享用這個世界的方法。

第一章

標準答案和你想的不一樣

這一篇選文的目標——

・我們如何在「理性」與「感性」當中做選擇？
・學習勇敢為自己的想法「做決定」。

十 序曲：寫給一首變奏

序曲：寫給一首變奏

米蘭．昆德拉

俄國人於一九六八年占領我的祖國，當時我寫的書全被查禁了，一時之間，我失去了所有合法的謀生管道。那時候有很多人都想幫我。一天，有位導演跑來看我，問我要不要把杜思妥也夫斯基的《白痴》改編成劇本，再以他的名義發表。

為此我重讀了《白痴》，也了解了一件事，那就是即便我餓死了，也無法改編這部小說。因為我厭惡書中的那個世界，一個由過度作態與暗晦深淵，再加上咄咄逼人的溫情所堆砌起來的世界。

為什麼會對杜思妥也夫斯基有這般突如其來的強烈反感呢？是身為捷克人，因為祖國被占領而心靈受創，所反射出來的仇俄情緒嗎？不是。是對杜思妥也夫斯基作品的美學價值有所懷疑嗎？也不是，這股對杜思妥也夫斯基的強烈反感，連我自己都感到驚訝，這種感覺根本沒有絲毫的客觀性。

杜思妥也夫斯基之所以讓人反感，是因為他書中的氛圍；在那個宇宙裡，萬事萬物都化為情感；也就是說，在那兒，情感被提升至價值與真理的位階。

捷克被占領之後的第三天，我驅車於布拉格和布德若維斯城（卡繆的劇作《誤解》中的背景城市）之間，在路上、在田野裡、在森林中，處處可見俄國步兵駐紮的軍營。車行片刻，有人將我攔下，三個大兵動手在車裡搜索。檢查完畢，方才下令的軍官用俄語問我：「*Kak chuvstvuyetyes?*」意思是說：「您有何感想？」問句本身既不凶惡也無嘲諷之意，問話完全沒有惡意。軍官接著說：「這一切都是誤會。不過，問題總會解決的。您應該知道我們是愛捷克人民的。我們是愛你們的！」

原野的風光遭到坦克摧殘蹂躪，國族未來的數個世紀都受到牽連，捷克的國家領導人被逮捕、被劫持，而占領軍的軍官卻向你發出愛的宣言。請不要誤會我的意思，占領軍軍官並無意表達他對於俄國人入侵捷克的異議，他絕無此意。俄國人的說法和這位軍官如出一轍：他們的心理並非出自強暴者虐待式的快感，而是基於另一種原型——受創的愛：「為什麼這些捷克人——我們如此深愛的這些捷克人，不想跟我們一塊兒過活，也不願意跟我們用同樣的方式生活呢？非得用坦克車來教導他們什麼是愛，真叫人感到遺憾。」

感性對人來說是不可或缺的，但是自從人們認為感情代表某種價值、某種真理的標竿、某種行為判準的那一刻起，感性就變得令人害怕了。最高尚的民族情感好整以暇，隨時準備為最極端的恐怖行徑辯護；人們懷抱滿腔抒情詩般的情感，卻以愛為聖名犯下卑劣的惡行。

感性取代了理性思維，成為非知性和排除異己的共同基礎；感性也成為如榮格（**Carl Gustav Jung**）所說的「暴行的上層結構」（**la superstructure de la brutalité**）。

情感躋身於價值之列，其崛起的源頭上溯極遠，或許可以直溯至基督宗教和猶太教分道揚鑣的時刻。「敬愛上帝，行其所喜悅」，聖奧古斯丁如是說。這句名言寓意深遠：真理的判準從此由外部移轉至內部——存在於主觀的恣意專斷之中。愛的模糊感覺（「敬愛上帝！」——基督宗教的命令）取代了法律的明確性（猶太教的命令），並且化身為朦朧失焦的道德判準。

基督宗教社會的歷史自成一感情的千年學派：十字架上的耶穌讓我們學會了向苦難獻媚；洋溢著騎士精神的詩篇告訴人們什麼叫做愛；布爾喬亞家族關係勾起我們對於家族的懷舊感傷；政治人物的蠱論滔滔成功的將權力欲「情感化」。正是這段漫長的歷史造就了情感所擁有的權力、豐富性及其美麗容貌。

不過，自文藝復興以來，西方的感情因為某種與其互補的精神而獲得平衡：這種精神就是理性與懷疑，遊戲以及人文事物的相對性。職是之故，西方文明得以進入全盛時期。

索忍尼辛於其著名的哈佛演說中，將西方危機之濫觴置於文藝復興時期。這樣的論點顯現了俄羅斯文明的殊異之處；事實上，俄羅斯的歷史之所以有別於西方，乃因文藝復興不曾出現在這個國家，而文藝復興的精神也未曾在此地應運而生。這正是為何在理性與感性之間，俄國人的心理所感受到的是另一種不同的關係；而俄羅斯靈魂（其深沉及其粗暴）的神祕之處就存在這種關係裡。

當俄羅斯沉重的無理性降臨我的祖國，再也找不到如此滿溢著機智、幽默和想像的盛宴，我本能的感受到一股想要恣意呼吸現代西方精神的需要……要是真的必須給自己下個定義的話，我會說自己是個享樂主義者，被錯置於一個極端政治化的世界。

——原載自《雅克和他的主人》，皇冠出版，二〇〇三

褚阿北的哲學蹲馬步

問題1：你相信你的「心」還是你的「頭腦」？

二〇一八年我開始著手編選這一本書的時候，腦海裡浮現的第一個作家，就是當時已經八十九歲高齡的米蘭．昆德拉。我從少年時代，就喜歡他的每一本作品。

於是我請認識的編輯朋友，給了我米蘭．昆德拉的聯絡方式，我立刻寫了一封信，說明了我在中學開始，如何受到他作品的影響，所以在編《世界和你想的不一樣》這本書時，想請米蘭．昆德拉寫一篇文章，說他的世界是從什麼時候開始，變得跟原本想像中不一樣。

少年時的我，努力想要理解這個廣大的世界，急於想在這個世界找到一個屬於我的位置，但是這並不容易。當年是米蘭．昆德拉的《生活在他方》（*La vie est ailleurs*）這本書，改變了我。這本書的書名，是來自法國詩人韓波的名言：「在富於詩意的夢幻想像中，周遭的生活是多麼平庸而死寂，真正的生活總是在他方。」一書中描繪年輕詩人雅羅米爾的一生，傳達出人們對生活、愛情、理想的渴望；還有處在平凡生活中，理想與現實永遠沒有盡頭的矛盾與衝突。

讀完這本書，我才驚覺，作為一個從小多愁善感的孩子，我從小對於「世界」抱著浪漫的想法，就像米蘭．昆德拉批評杜思妥也夫斯基的《白痴》，在那個宇宙裡，情感被提升至真理的地位，萬事萬物都化為情感，但情感瞬息萬變，當我用「感受」來認識世界時，追尋感受的過程中雖然有快樂，在努力複製旅行中狂喜的感受時，更多的其實是焦慮。「我為什麼沒有辦法像上次來巴黎時，有同樣的感動呢？巴黎哪裡不對勁了？還是我的感受變得遲鈍無感了？」

我跟米蘭．昆德拉長年的編輯，還有他的妻子薇拉透過電子郵件來回討論，他們說米蘭．昆德拉年紀大了，無法再寫新的文章，「有沒有哪一篇舊作，是你最喜歡的呢？」他們問我。

於是我想到米蘭．昆德拉一九八五年在《紐約時報》刊登，一篇當年引起紐約知識分子之間筆戰的文章，曾經給了我極大的啟發。在我混亂的少年時期，幫助我安靜下來，重新檢視真正的思考，必須來自「理性」而不是「感受」，否則我們的一輩子都會被無法控制的情緒牽著走。

文章中米蘭．昆德拉描述他的祖國捷克被俄國軍隊占領之後的第三天，在路上被攔下來臨檢，占領軍的軍官問他：「您有何感想？」如果用情緒來面對，一定會認為對方在他剛剛失去國家的時候這樣問，是存心冷嘲熱諷而掀起衝突，但是理性卻讓米蘭．昆德拉看到，軍官問這句話，完全沒有惡意，甚至真心相信，這只是一場誤會，俄國其實是愛捷克人的，而問題總是會解決的。

米蘭・昆德拉的妻子說，米蘭・昆德拉很高興他的這篇文章，在少年時期帶給我的影響。「那我們就收錄這一篇吧！」我們愉快的達成了這個決定，我只選了原文前面較易讀的一部分，就是對我影響最深的那一段。

就是你現在看到的這一篇。

對你來說，「理性」跟「感性」，哪一個比較可靠？你可以找出一個好例子，來支持你的看法嗎？

問題 2：米蘭・昆德拉是捷克作家還是法國作家？

米蘭・昆德拉這篇文章，是一九八五年在《紐約時報》上發表的。當時他五十八歲，才剛剛拿到法國身分證四年，而裡面寫的故事是當他三十九歲時，他的祖國捷克剛被俄國占領後的一段往事。

雖然世人提到米蘭・昆德拉，都會說他是捷克著名作家，但是他一九七五年起流亡法國，一九八一年歸化為法國公民。他在晚年接受採訪的時候，稱自己為法國作家，認為自己的作品應歸類為法國文學。

所以米蘭．昆德拉到底算捷克作家，還是法國作家，你認為應該以他的出身背景為準，還是以他自己心裡的國家認同為準呢？

「國家認同」是一種個人決定，但就像所有的「認同」，是個人片面可以用情感做決定的，而不是理智面的決定。

對許多臺灣人來說，國家認同這個議題的重要程度，甚至足以詆毀所有質疑其重要性的人。但是，國家認同真的很重要嗎？

以北歐的瑞典來說，某些人覺得區分瑞典和丹麥很無聊。不信的話，你去問問那些住在瑞典南部，每天通勤去丹麥上班的瑞典人。世代居住在瑞典的德國後裔，既不覺得自己是德國人，也不覺得自己是瑞典人。而住在瑞典北部的原住民薩米人（Sami），其游牧區域遍及挪威、瑞典、芬蘭，只是承認瑞典近年來的法律對他們比其他兩個鄰國友善而已，對於瑞典並沒有什麼國家認同。幾度面臨戰爭威脅時，也確實有瑞典人跑去敵國從軍，但是沒有推展國家意識形態認同的瑞典，卻也從來沒有面臨實質或是精神上的瓦解。

瑞士的情形也很類似。瑞士文化基金會在第二次世界大戰爆發前幾個月正式成立，從一開始的目標就是守護及推廣瑞士獨立的文化認同，但是二戰結束後，瑞士意識到「精神防禦」的必要性已經變弱了，基金會也轉變為鼓勵國際文化交流。根據現任基金會執行長彼喬夫（Philippe Bischof）所說，去定義瑞士文化是一件「有點危險」的事。比較重要的是讓瑞士藝術家得以進入國際市場、進行國際參與，即使許多持母語的移民，他們的作品也被理所當然視作瑞士創造出的藝術作品。

所以說米蘭．昆德拉的作品，是法國作家的作品，又有什麼不可呢？

這就是等同有一天，臺灣能把移工文學獎的泰文、菲律賓文、印尼文、越南文的得獎作品，理所當然的當成是「臺灣本土文學」，放在國際書展臺灣區最醒目的地方，臺灣也有人持續用這些語言創作、出版，而沒有任何人覺得奇怪。

如果你堅持的話，國家認同當然可以很重要，但恐怕不是最重要的。對臺灣來說，建造一個超越族群、超越偏見、超越政治立場、超越血緣、超越國籍、超越階級、互相扶持的社會，才是當務之急，讓生活在這個場域的人，相信臺灣「值得」認同，而不是「必須」認同。

所以，請試著對以下兩個困難的問題試著做出決定，並且試著說明「為什麼」：

1. 米蘭．昆德拉到底是一個「理性」的人，還是一個偏向「感性」的人？

2. 你認同的國家，是哪一個國家？

這一篇選文的目的——

・問題化（problematization）
・辯證（dialectic）的能力

十

捐舊衣舊鞋到非洲，其實弊多於利？

捐舊衣舊鞋到非洲，其實弊多於利？

褚士瑩

不想傷了和氣的大學生：

阿北你好，最近我家長輩的Line群組瘋傳的不是斗大字體佐夏日荷花的親民長輩圖，而是一張張黝黑皮膚、瘦弱的腳，穿著已經殘破、開口笑的運動鞋，踩在紅土沙地上的照片，呼籲「舊鞋救命」——請大家把不再穿、不能穿的舊鞋子捐出，將有公益單位協助舊鞋裝填上貨櫃，運往非洲，讓非洲的小孩可以無憂無慮的奔跑在沙地上，免受沙蚤等寄生蟲所苦，甚至免於生命危險。

除了婆婆媽媽們，我有不少朋友也在大學社群裡瘋傳這些東西。這讓我想起阿北以前發過的文章，文中講了休閒鞋品牌「買一捐一」的販售模式，其實根本沒有解決非洲當地根本的「貧窮」問題，甚至帶來一些傷害，還好該品牌後來做了反省。但我忍不住想，大家一窩蜂響應的「舊鞋救命」會不會也跟當初一樣造成傷害？那豈不是違背了行善初衷？我要怎麼樣在我媽媽、阿姨、三叔公，以及臉書上的大學同學打包舊鞋寄出之前，不傷和氣的跟他們討論捐助二手鞋的話題？如果想行善，除了捐贈物資，我們還可以做些什麼呢？

比起和氣，更不想傷害他人的褚阿北：

天啊！都什麼時代了，這種想法竟然還在！

每隔一陣子，看到呼籲捐二手衣、二手鞋到非洲做「善事」，就會忍不住產生似曾相識的「既視感」，每次都像發現那些早就在地球上絕跡的疾病突然之間又風行起來般的驚訝！

當然，我這麼說，會讓許多人覺得自己的愛心受到了侮辱，但如果我告訴你，東非幾個你心目中所謂「需要幫助的國家」，包括肯亞、烏干達、坦尚尼亞、布隆迪、盧安達等國所組成的「東非國協」（East African Community, EAC），已經提案要制定公約，從二〇一九年開始禁止二手衣物鞋子，通過慈善捐助或商業販賣的形式進入東非。聽到這個消息，你會覺得驚訝嗎？

免費的最貴：傷害大於效益的「援助」

請花一分鐘想一想這個問題：「一個這麼顯而易見的好計畫，為什麼受捐助的國家卻想要立法禁止？」

原因很簡單，因為這樣的行為帶來的傷害，遠比幫助來得大。只有停止這種「援助」行為，這些國家才有可能開始推展本地製造業，增加就業機會。

「免費的永遠最貴」，我們都知道這個道理。讓我做一個瘋狂的假設：如果當年戰後美援臺灣的不是麵粉，而是稻米，免費的美國稻米作為援助物資大量進入，部分流入黑市，那麼臺灣生產的稻米無論多麼便宜、品質多麼精良，會有機會跟免費的稻米競爭嗎？這樣一來，臺灣的稻農早就被打趴了不是嗎？

根據調查，從一九八〇年到二〇〇〇年這短短的二十年之間，捐到非洲的二手衣物，正是非洲紡織製造業就業人口衰退百分之五十的元凶。一個被迫斷絕的產業，需要多少年才有可能重新復興？諷刺的是，這個調查，正是「買一捐一」的鞋商在二〇〇八年做的。

你好心捐到非洲的二手衣、二手鞋，就是這種殘忍的舉動，恰恰跟你的本意相反。

我不懷疑這些活動的起心動念是善的，但就像海外醫療團，這些「善舉」都被受援助國的當地政府強烈反對。可惜的是，善心人士往往被自己頭頂上愛的光環照得看不見真實的苦難，也聽不見別人反對的怒吼，所以至今還有不少這樣的臺灣醫療團，丈二金剛摸不著頭腦，覺得「為什麼我們這麼專業又有愛心，願意自掏腰包卻四處碰壁，幾乎找不到國家願意再接待義診？」很多人歸咎於臺灣的外交弱勢，但其實真正的原因是跟時代脫節的行善觀念。

你的捐助想要解決問題？還是追求光環？

貧窮的國家需要接受幫助是事實，只是他們需要的幫助，可能跟你想的不一樣。

比如每一個義診團員出門十天花在交通食宿上的大筆費用，在需要受援助的國家，可能得以拿來聘用訓練當地的衛教人才一年，這麼做不但能訓練在地人才、增加就業機會，也可以用更少的錢，有效達到長期援助的效果。

同樣的道理，花錢承租貨櫃或包機，使用海運或空運將買一捐一的新鞋或「舊鞋救命」的二手鞋送到非洲，其中的運輸成本、燃料和碳足跡，已經足以支持像Oliberté這樣的非洲本土製鞋公司——在尚比亞使用來自肯亞的材料、模里西斯縫製的標籤，僱用在地的員工，製作真正適合在地人需要的新鞋子，以解決更多窮人沒有鞋子穿的困境。

送給窮人再多、再好的鞋子，也不會解決讓這些人一開始就沒有鞋子穿的根本問題：「貧窮」，但創造就業機會卻有可能治本。

雖然很不幸的，東非國協的這個「反二手衣物法」極可能不會通過，而最大的阻力來源，就是大量捐贈或傾銷二手衣物的美國。

比起做對的事，我們似乎更渴望得到行善的榮耀光環，所以基本經濟學原理在援助發展領域並不受歡迎。

跟不上時代的行善觀念，事倍功半

另一件你不知道的事，是對於非洲東北部吉布地共和國的人來說，這種二手衣鞋，還被暱稱為「二手衣之這次誰死了？」（who-died used clothes）。對當地人來說，衣物應該是穿到破得不能再破了才換新的東西，所以只要是堪用，甚至看起來簇新的衣鞋，一定是屬於死人的，才有可能用不著而被送掉。

你有沒有想過，當你用「反正等過季可以捐到非洲去」作為無止境的、光明正大的過度消費藉口時，你在接收衣物的非洲人心目中，根本是一個死人？尤其是你在以信仰為名做這樣的事情時，不只縱容了自己的過度消費，也消費了你的信仰。

你真的以為你的舊衣舊鞋，可以拯救世界嗎？還是你以為你是生來拯救非洲的？你的善行，或許恰恰讓無能的當地政府，有更多苟延殘喘、不思改進的藉口。

你之所以淘汰一雙鞋，很可能是因為它的鞋跟已經磨歪了，再穿就會扭到腳。你以為非洲人就不會扭到腳嗎？

我只能懇求你，請別這麼殘忍。真的有心要捐，就捐錢吧！舊衣舊鞋不是不能捐，臺灣的二手冬衣就近捐給南方澳的宜蘭漁業工會，讓來自東南亞的漁工冬天可以保暖，這種情況我就完全舉雙手贊成。在你了解其中的差異之前，先做點功課吧！

——原載自《NPOst公益交流站》，阿北私會所專欄，二〇一七

褚阿北的哲學蹲馬步

問題：對的事情沒有做好，算不算對的事情？

從小每次我只要聽到人說：「我是為你好。」心裡就有一股說不出的不舒服，但是又說不出哪裡不對。不知道你是不是也跟我一樣？

現任職於哈佛大學相關醫院——麻州總醫院，也是《告別菜尾世代：大膽向世界遞履歷，我在哈佛體系的觀察》這本書的作者洪雅敬（Y.C. Hung），曾經針對善意援助第三世界這件事情，寫過一篇文章，開頭就這麼說：「給予，或許正是解決貧窮這個問題上，一個再簡單不過，卻錯誤的反應。」

為什麼說「給予」是「錯誤的反應」呢？因為「免費」，其實是拖垮當地產業的元凶。以衣索比亞的農業來說，因為免費的食物援助，當地農夫種的穀物都無法銷售——既然有免費的食物，為什麼需要購買？大量免費或極端便宜的食物從歐美或第一世界國家運往第三世界，讓當地的農夫們完全無法與工業化大量生產的歐美穀物價格競爭，許多農夫因此失業或失去收入。

在盧安達大屠殺後，第一世界往非洲大量捐贈免費的雞蛋，讓當地的雞蛋商完全沒辦法存活，雞蛋商忍痛賣出自己所有的母雞，認賠殺出，一年後第一世界卻決定不再捐贈雞蛋，同時當地人已決定退出市場不再賣雞蛋，於是，在這樣的「善意」過後，變成沒有人有雞蛋吃。

類似的情況不只出現在農業，還包括這篇選文當中提到的大量免費的成衣與鞋子，拖垮了當地的成衣業。在《貧窮股份有限公司》這部紀錄片裡，也提到當地人親身經驗的例子：

「我小時候從來沒有二手衣市場，你知道我小時候如果想要新衣服的時候會怎麼樣嗎？我媽會帶我去漂亮的店裡挑全新的衣服，可是當我長大後，這些店都不見了，你只會看到大量便宜的二手衣在路邊賣，中小型的在地成衣業都沒辦法跟這些『免費』到近乎不需要成本的二手衣競爭，所以逐漸倒閉。現在，我要買新衣服，卻不知道去哪買了。」受訪者說。

「善意」有時候就像充滿激情的颱風，說來就來，說走就走，所以洪雅敬才說，每個人道援助的後頭，都存在一些良好的善意：你看到別人正在受苦，所以你想要幫助，在幫助的選項裡，最直覺也最立即的反應就是：給。給錢、給食物、給衣服、給鞋子……給予後，許多人們即認為自己盡到身而為人、幫忙同胞的道德責任，但實際上，就如同二十世紀早期的美國記者、諷刺作家、文化評論家亨利・路易斯・孟肯（H. L. Mencken）說的：「每一個複雜問題的背後，都有一個清楚、簡單，卻錯誤的答案（For every complex problem, there is an answer that is clear, simple and wrong.）」

很多人想藉著幫助別人，讓自己的生命更有價值。我以前以為讓自己的生命產生價值的方法，就是透過專業幫助別人，但是在國際ＮＧＯ組織工作了十多年後，才發現真正的價值不只在「做對的事」，而在於學會如何「把對的事做好」，在這過程中，慢慢變成一個自己喜歡的人，這才是最大的獎賞。

所謂的善舉，是「過程」，還是「結果」？

你認為「做對的事」比較重要，還是「把對的事做好」比較重要？為什麼？

「我是為你好」這句話背後，真正的意思又是什麼？

這一篇選文的目標——

・分辨「事實」跟「投射」的區別

・透過「真」、「假」的思考，理解界線的概念

十 我與死亡面對面

我與死亡面對面

褚士瑩、曾寶儀

我曾經為了一個紀錄片，花了半年的時間，到全世界各地跟死神對話。

從小我們被教育著儘量避免談論死亡，因為那是不吉利的事，但我覺得自己很幸運，從來沒有想過因為擔任主持人的工作，有一天會帶著我用不熟悉的外國語言，到世界上遙遠的角落，找到一個你願意跟他說話，而他也願意跟你說話的人——即使我們談的話題是死亡。

當我在波士頓的墓園，面對死亡學的教授，我生平第一次面對面的感受到，原來世界上有人以極大的熱情，在面對死亡這件事。

當我在瑞士巴塞爾的安樂死診所，親眼目睹一百零四歲的澳洲植物生態學家，特地在家人陪同下到那裡選擇自己的死亡，讓我意識到，唯有正視死亡，越早開始思考關於死亡的事，越早明白自己對於死亡的態度，才能得到生命的勇氣。

除了美國和瑞士，我還去了荷蘭、愛爾蘭、英國，採訪了數十位對象，除了安樂死，還有長生不老、AI人工智慧、性愛機器人，甚至探討美國墨西哥的邊境問題。

其中那位一百零四歲的植物生態學家叫做大衛．古道爾（David Goodall），他因為澳洲不承認安樂死合法，才必須到瑞士去。

選擇安樂死的客戶到達診所，必須連續兩天接受兩個不同的醫師，對客戶進行生理跟心理的評估，確認安樂死是客戶本人在意識清楚下的決定，而且有能力自己按下那顆按鈕，如果最後一秒鐘後悔的話，也有辦法可以自己終止這個過程。

大衛到了以後，發現不能立刻執行安樂死，顯然有點失望。

「我們還在等什麼？」大衛在守候多時的記者面前，問陪同他一起來的孫子。

「還有一些表格要填。」孫子回答。

「哎！」他搖頭嘆了一口氣，「總是有一大堆表格要填！」

出發之前，我處在天人交戰之中，要特地離家，搭那麼遠的飛機，以媒體主持人的身分去親眼看一個人死亡的過程，這對我非常困難，我不斷問自己：

「我這樣做，是對的嗎？」

「為了紀錄片，占用他生命最後的時間，對他和家人公平嗎？」

但是看到他面對死亡如此無懼，甚至有點迫不及待，我原先的擔憂就放下了。

死前一天，孫子還推大衛到植物園去，看他最心愛的植物。

從植物園回來以後，我在攝影機面前採訪他：「你有跟你喜歡的世界說再見嗎？」

沒想到大衛很不以為然的反問我：「為什麼要說再見？」

我沒想到他會這樣說，有點慌了手腳，又接著問：「那你有沒有想過離開這個世界，最捨不得的是什麼？」

他的回答更讓我驚訝：「我不相信死後的世界，所以我沒有什麼捨不得。」

我突然沉默，問不下去了。

在那個剎那，我才意識到，臨終前跟摯愛的世界道別，這根本是我自己想法的投射，對他來說，那不是事實。

「你還要說什麼？」導演在旁邊問我。

「我不知道我在幹麼。」我誠實的回答導演。

我在問問題的時候，是嘗試把我自己放在他的處境裡，我想如果我要死會捨不得離開這個世界，所以才會想到人死前需要跟世界道別。他是我的一面鏡子，我在他的回答裡，清清楚楚看到自己的價值觀。表面上我是去瑞士採訪他，但事實是，**即使我表面上旁觀了他人生的最後一程，**目睹從生到死的瞬間，我還是不可能了解他，我只能明白自己。

我想起在這之前的一段小插曲。在採訪他的過程中，我也訪問了從澳洲一路陪伴他到瑞士進行安樂死的護理人員。我問她，為什麼他在澳洲不請一位二十四小時制的看護照顧他，這樣獨居的他就不會在家裡跌倒三天後才被人發現，可能

也就不會想主動離開這個世界了。那位護理人員回答我說：

「如果換成是你，連大小便時一分一秒都沒有隱私的生活，你要嗎？」

我搖搖頭，我不要。

是啊！我自己不想這樣，為什麼長久以來，卻認為看護要二十四小時隨侍在側，才是對的呢？

把這兩件事放在一起，我清楚意識到，我必須學習尊重彼此不同的存在，而不是根據自己的信念跟價值來影響別人，我應該——而且只應該為自己的生命負起全部的責任。

這間位於安靜的巴塞爾的安樂死診所，因為這個名人的安樂死事件而沸騰，還因此特別設置了一間媒體室，讓記者發稿，大衛在按下按鈕之後，我們唯一能做的，就在媒體室裡等待最後的結果。

「最後的結果？」我突然覺得這整件事很荒謬，最後的結果，如此顯而易見，不需要診所發言人來告訴我，實際上，我們所有人來到世上，最後的結果，不都是一樣的嗎？

想清楚以後，我突然變得很平靜，開始悠閒的看著媒體室書架上的書。所有的書都是法語或德語寫成的，唯一一本我看得懂的英文書，是中古神祕詩人魯米（Rumi）的詩集。

打開之前，我輕輕問詩集：「你今天要教會我什麼事？」

隨手翻開，裡面是這一段：

Today is such a happy day,（今日如此美妙，）
There is no room for sadness,（沒有可讓悲傷容身之處，）
Today we drink the wine of trust from the cup of knowledge,（今日讓我們從知識之杯裡啜飲那叫做「信任」的佳釀，）
We can’t live on bread and water alone,（既然不能只靠麵包與水過活，）
Let us eat a little from the hand of God.（就讓我們吃點從神的手上接過來的

東西吧。）

這時，診所發言人走進媒體室，告訴我們大衛．古道爾教授已經死亡的消息。我們完成了任務，走出門，天空下著毛毛雨，我平靜的打開從飯店借來的黑雨傘，走進雨中，原本早上出門前糟透了的心情，有了很大的轉變。

「啊！這是個很棒的一天啊！」我聽到自己這麼跟導演說。

因為在那一天，我學習到如何面對死亡。

自從二〇一一年我摯愛的爺爺走了以後，我的心被巨大的悲傷掏空，久久無法平復，時常過馬路過到一半，突然走不下去，就哭出來，也有好幾次因為太悲傷，無法繼續工作，出走遠行到阿拉斯加去看極光，但是無論做什麼，都沒有辦法減輕我的悲傷，甚至每次要去爺爺骨灰的塔位祭拜，根本還沒有到，就又哭了起來。

也是從那時候開始，我開始問：

「爺爺去哪了？」
「我們還會再見面嗎？」
「我是誰？」
「我從哪裡來？我會去哪裡？」

這些生命本質的問題，我在這一天終於得到了答案。

這段時間，最大的收穫有兩點，一個是學會認識本質，二是學會尊重、不妄下評斷。

因為無論到世界哪個角落，在任何文化下，死亡都很難啟齒，很難面對，所以我在這半年中，學會了不從字面上去解讀別人的話語，因為那些都經過包裝，我要學會如何去看到話語背後的本質，知道對方真正的意思是什麼——有時候即使連他們本人都不知道。

他人對待生與死的態度，有些我們能接受，有些我們不能接受，但是我們必須尊重這些不同的存在，如果我們自己也有不同的面向，甚至很多的不一致跟矛盾，為什麼別人不可以有呢？世界本來就是多元共存的，這是世界最可貴、可愛的地方，我們不應該用攻擊、憎恨來面對我們不能接受的價值觀。到頭來，別人是一面鏡子，反照著你的心，所以你對待別人的方式，就是你對待自己的方式。

經歷了這一切，我問自己：「是不是一定要用悲傷來面對死亡？」

我現在知道這個問題的答案了：這是我自己的選擇。

一個人做的任何決定，都在呼應自己的信念和價值，尤其是我們決定面對死亡的態度，會形塑我們的生命，甚至比種族、文化、宗教能夠帶來的影響統統加起來還要多。

從瑞士回來以後，我重新學習如何看待生命的意義，還有爺爺的死亡。我發現我去塔位祭拜爺爺的時候，不再哭泣了，甚至可以拿著香，笑著訴說家裡每一個人的近況。

原來每一人的死亡，都是給另一個人一份生命的禮物。

我爺爺的離開，對我是一份巨大的人生禮物，幫助我停下來，花時間仔細檢視自己的生命，好好梳理我的人生，過程中當然難過悲傷，終於明白以後，就知道這份禮物的珍貴。

我想到我站在美國跟墨西哥邊界採訪，看著一條長長的邊境線，分隔著兩邊明明看起來一模一樣的沙漠，心裡想著：

「是誰畫了這一條線？」

「誰有資格決定你跟我不一樣？」

因為畫了界線，我們就被區分了，甚至出生時命運就被決定了，但是畫線的不只國家，我們在自己的心裡，是不是也畫了什麼界線，無法跨越？

這條線，是真的，還是假的？

我也是在那一刻，發現我喜歡思考。這是我學習面對死亡的故事。

褚阿北的哲學蹲馬步

問題1：什麼是「投射」，什麼是「事實」？

曾寶儀，阿寶，是我從學生時代就認識的好朋友。當然，她當時還不是一個演藝圈家喻戶曉的名人。

但是，事隔這麼多年，我們各自有了非常不同的人生遭遇，我還可以因為我們過去是好朋友，所以現在還繼續認為阿寶是我的好朋友嗎？難道好朋友不會漸行漸遠，終於變成兩個陌生人嗎？我宣稱跟阿寶是好朋友，需不需要她本人的同意？

很多人小時候有心愛的布偶，我們會非常確定的跟大人說，這布偶是我的好朋友，難道這也需要布偶同意嗎？

阿寶跟我是好朋友，是我自己情感的「投射」，還是「事實」？這要如何判斷呢？

滿足兩個人成為「好朋友」的條件是什麼？

很多人喜歡韓星孔劉，甚至有不少瘋狂的迷妹，光明正大的自稱「孔夫人」，她們需要孔劉本人的同意嗎？孔劉根本不認識她們呢！所以「孔夫人」這件事，是粉絲情感的「投射」，還是她們的確有做到什麼讓這個宣稱，可以稱之為「事實」的重要條件？

宣稱沒有生命的布偶是好朋友，跟認為自已是韓星孔劉愛的人，本質上一樣，還是不一樣？

這兩個例子的「本質」，如果有所不同的話，是哪裡不同呢？

一個小孩子，宣稱沒有生命的布偶是他的好朋友，跟阿寶宣稱已經死去的爺爺，給了她一份珍貴的生命禮物，這兩件事「本質」一樣嗎？

我們如何判斷阿寶說的是「事實」，還是情感的「投射」？為什麼？

還有，阿寶在瑞士安樂死診所，在隔天即將結束自己生命的植物生態學家，參觀植物園回來以後，問了他一個問題：

「你有跟你喜歡的世界說再見嗎？」

一個植物生態學家，死前一天決定去植物園參觀，就是在跟他喜歡的世界說再見，難道不是鐵證如山的「事實」嗎？

還是，這只是阿寶自己情感的「投射」？

我有沒有什麼好方法，可以用來區分「事實」跟「投射」的本質？

問題2：界線是真的，還是假的？

分隔兩個國家的界線，是真的，還是假的？

很多國家的國界，在一望無際的沙漠裡，或是海洋中央。沙漠的羊，海洋裡的魚，難道有受到國界的影響嗎？所以疆界有可能是真的嗎？

但如果疆界是假的，為什麼我們需要護照，才能夠跨過疆界？對有些國家來說，像是南韓跟北韓，以色列跟巴勒斯坦，即使有護照，也不見得就能夠跨越疆界，這跟沙漠的羊，海洋裡的魚，為什麼不一樣？

難道疆界只對人類而言是真的？

可是如果對沙漠的羊，海洋裡的魚，不是真的，為什麼對人類，卻是真的？

我映在地板上的影子，是真的嗎？

我在鏡子裡看到的影像，是真的嗎？

生和死的界線，是真的嗎？

我有沒有辦法舉出五種真的界線，跟五種假的界線？

我有沒有什麼好方法，可以用來區分界線「真」跟「假」的本質？

十 我在埃及貧民窟的日子

這一篇選文的目標——

．「深化（deepening）」思考的能力：什麼是好工作？

．「理解」問題的能力：透過「對」、「錯」的思考，探索倫理的界線

我在埃及貧民窟的日子

施盈竹

我是一個國際NGO工作者。二十三歲那一年，以志願者的身分，到埃及開羅郊區的貧民窟，服務對象是當地的兒童跟性工作者。我落地到辦公室報到的第一天，已經有一群人正等著我的到來。

在我眼前出現的是一群性工作者，年紀從十四歲到六十歲上下，她們看到東方面孔的我，好奇的把我團團包圍，說著我聽不懂的埃及方言。工作人員告訴我：「這群性工作者為了賺錢養家，才觸犯法律和伊斯蘭教法從事非法工作。她們來組織接受職業課程，如：烹飪、美髮和戲劇等訓練，寄望有朝一日脫離深淵。」

我不知道發了什麼神經，休息空檔把手機拿出來玩遊戲，被其中一位性工作者注意到，「借」走我的手機，神不知鬼不覺的拿到我的電話號碼，我才知道在埃及只要撥＊878＃，就會顯示這臺手機的電話號碼，當時想說也沒什麼大不了，直到某個週末夜半接到此性工作者的電話，熱心要推薦我「恩客」，這才明白，原來我被視為跨國性工作者，嚇得我直打哆嗦，原來自己闖入「花花世界」了！

隔天社工趕緊來滅火，跟全體接受職業培訓的「受訓者」聲明，我的身分是志工，到組織來陪伴性工作者的孩子。埃及沒有所謂社會福利或社工等相關的專業科目，更甭提社會學了。我想跟大家解釋，但翻遍了英埃字典卻找不到任何詞彙，這些受訓者也似懂非懂，乾脆當我是「老師」比較簡單。

之後我與這些性工作者和她們的孩子朝夕相處，間接聽到她們的親身經歷。

有位從小就是街童出身的女孩，為了生存被流氓或警察騙去吃飯，代價是陪睡一晚，長大以後只要男人肯買手機給她、對她好，她就跟人家走。一位六十歲的阿嬤，怎麼看都不像是做特種行業，她想趁「體力還行」，繼續賺錢養家。至於幾位長相貌美的少婦，從衣著談吐看來，我想不通，她們怎麼會變成性工作者呢？

「為了更好的生活品質。」她們如是說。

這些性工作者的丈夫，他們沒有正當工作，每天抽菸、下棋，跟老婆索取生活費。他們有些人從上埃及來到首都開羅，懷著淘金夢來賺大錢，但只找到門房或是清潔工作，更多人乾脆占領郊區的空地，形成散布在開羅郊區的貧民窟。他們沒文憑、沒背景又沒靠山，在小康或中產階級的埃及人眼中，被視為罪犯、強盜、小偷，或是幫派分子。

他們的妻子為了嗷嗷待哺的孩子挑起家庭重擔，成為幫傭，或做起街頭生意。有些女性為了賺取更多的錢，成為了性工作者；如果性交易一個小時可以賺五百元新臺幣，幫傭得要兩個星期才行，這樣根本沒有時間打理家務、照顧孩子。

在埃及之外的性工作者

我想起，過去在臺灣戰地金門尚有大量駐軍的年代，曾有軍人專屬的特約茶室，「消費者」依照軍階分級購票「入場」，營業單位極為注重衛生與檢查，以預防性病的發生，甚至將消費資格按士兵、少校到上尉等軍階來分等級。如今的軍中樂園已改建為紀念館，提醒世人這段不能被抹煞的歷史……

「在那裡的姐妹們，她們既不是被逼良為娼，也不是在為誰而戰的號召下欣然前往，也沒有像大都會的勞軍團，在歡迎歡送的掌聲中，風光的驚鴻一瞥。她們是無聲無息的來去，在那火線上，隨時隨地會葬身在砲火中，生前沒人知道，死後軍籍上也沒有名字，她們與大家是同甘苦、共生死的。」金門特約茶室展廳的牆面上用這一段話紀念默默「犧牲奉獻」的女性。

我很佩服保羅．科爾賀小說《愛的十一分鐘》中，一位巴西女孩為了圓歌手夢，一路從瑞士歌舞廳小姐變成性工作者，她認為「性工作，並不是黑白分明般的骯髒下流」，反而成為男人的「重要」夥伴，傾聽他們在職場工作上的辛勞與身上背負的家庭重擔。

在瑞士，性交易屬為合法行業，性工作者需遵守工作倫理：不得愛上已婚顧客，下班後不得與顧客藕斷絲連，甚至不能相信顧客給的任何承諾。只要遵守法律的條文，便能從「工作」中賺取穩定的生活費用，供應家庭的經濟來源。

在我服務的組織中受訓練的女性，有位二十七歲的性工作者，全家都仰賴她的性工作收入，只是家中沒有人知道她到底在做什麼。

為何罪責只在女性？

我開始思考，在開羅的性工作者不僅被汙名化，也被宗教冠上十惡不赦的罪名，但男性難道不該背負起責任嗎？

每年從沙烏地阿拉伯來埃及買春的有錢人。

街頭上對女子性騷擾的無聊男子。

那些財大氣粗出入酒吧、俱樂部看肚皮女郎的大爺……

他們都體現了埃及社會中對於女性的騷擾，或用大男人主義的思維，將女性物化的那一面。而我心疼那些我所接觸過的性工作者，通常是為了養家餬口，或更好的生活條件，冒著染上性病或愛滋病從事危險的性工作。

每每在街頭咖啡廳看著包裹在黑衣罩袍（Burka）下濃妝豔抹的女性，她們點著菸，慢慢吐出一團霧氣，不疾不徐的尋找獵物，在人來人往、熱鬧非凡的街上以靜制動。我只能無奈的撇開視線，回到我的紅茶杯上，不願再多想，也顧不了紅茶渣，一飲而盡。

某天我走在大街上，遇到一位曾到組織上課的性工作者，我低頭走著沒注意到，差點與她擦身而過，她主動向前問候說：「好久不見，很想念你。」我也熱情的回抱，她還不忘介紹她一旁的男士是她的「兄弟」……最好是啦！我們默契的相視而笑。

性工作者的哀歌

二〇一一年埃及二月革命後，埃及女性團體領袖寄望埃及新政權帶來轉機，女性決定要為自己發聲，只是革命精神與訴求能延續多久呢？

「你想要一個穿著迷你裙的領導者嗎？」有男性語帶嘲諷說著。

二〇一一年三月八日國際婦女節，解放廣場上將近百位女性舉著布條，抗議社會漠視婦女權利，一群男性卻襲擊遊行女士，直到軍警出面干預才落荒而逃。此幕與革命期間，女性帶領著男性唱頌口號的情景大相逕庭。

至於組織裡的性工作者更是無法得到平等的待遇，她們是一群嚴重牴觸穆斯林律法的女性。《古蘭經》中，嚴禁女性出賣自己的身體，違背者進不了天堂，現行犯除了移送法辦外，還可被判死刑。

二〇一一年三月二十一日是中東國家公定的母親節，這天我在辦公室忙著折紙愛心，準備送給來上課的性工作者當作母親節禮物。一旁醫生們提議在紙愛心背後附上兩個保險套，希望性工作者懂得保護自己。

儘管革命後，穆巴拉克政權遭到推翻，性行業仍是禁忌，性工作者們自卑又自憐，醫生們試著輔導她們，要從愛自己開始，每個人都不完美、會犯錯，因為渴望物質生活，出賣身體，落入無止境深淵。為了幫助她們脫離性行業，組織輔導她們進行一系列職訓課程。

我也跟在一旁從旁輔導和記錄。在上語言課時，部分媽媽一旁餵著母奶，一邊聽老師上課，成員從十三歲到五十五歲，彼此不忘相互鼓勵。有位年輕媽媽拼不出女兒名字，猛抓頭、咬筆桿。老師故意激她說：「你該不會連你女兒的名字都不知道吧？」全場哄然大笑。這位語言老師過去也是性工作者，如今成為她們的榜樣，更激勵性工作者們努力求學。

上烹飪課時，組織同仁總會斥責她們懶惰，做菜時離不開椅子，看她們來回進出廚房數次，洗碗盤、拿餐具、洗切蔬菜，那企鵝般的身材，腳力恐怕早已不堪負荷，我為她們心疼的抱屈。

在心理輔導課程時，醫生問性工作者：「想像你擁有一個阿拉丁神燈，可以幫助你實現願望，那會是什麼呢？」

社工首先發難，娓娓講述著她希望不用工作，享受快活人生。性工作者準備分享時，眼眶已經一陣溼熱，她們希望生在一個健全的家庭——大部分的性工作者，無不期許能有尊嚴的活下去。

經過這段時間的相處與觀察，我發覺性工作者是一群很粗勇、幹練的娘子軍，有位媽媽生完孩子不到一週，便抱著小嬰孩爬六層樓梯到組織學美髮；另一位媽媽邊餵母乳邊回答語言老師的問題；還有趁著健身老師還未到，便已在跑步機上自我訓練多時的媽媽；烹飪課時，剝洋蔥的媽媽們不停流淚，來回搬運鍋碗瓢盆、洗蔬果、清菜渣……事實上，她們如同大多數的埃及婦女般堅忍，但卻被冠上永遠的汙名——妓女。

「一艘船上坐了基督教牧師、伊斯蘭教祭司、律師、工人、老師和愛滋病患者。船破了洞，快沉了，身為船長的你如何決定拋棄生命的順序？」律師在工作人員進修課的開頭起了引子，每一組的理由都說得頭頭是道，我當然也列了優先順序，直到答案揭曉。

原來是大家一起滅頂。

人人生而平等，如果理解這群性工作者的背景和無奈，或許就不會選擇對她們一網打盡，批判她們無恥或不要臉。

在街上、電視頻道、電影，經常聽到有人用妓女一詞嘲弄貧窮女性。大部分人也心知肚明，一臉濃妝豔抹、戴腳鍊和言語輕佻的少女、熟女，十之八九是妓女，沒有人膽敢大聲嚷嚷。儘管組織作為推廣防範愛滋病的先鋒，卻也得不到政府和一般市民大眾的認同，只能在檯面下協助性工作者。

一位女性運動者曾樂觀表示，由於國家正處於轉型期，每個人都急於爭取權利，如：警察、公務員、旅遊業業者、大眾運輸司機、學生、窮人和女人，但許多重要的議題，如：貪汙、酷刑、貧窮、失業和變質的教育，迫切等待注入活水，女性想擺脫社會無處不在的性別歧視與性騷擾的訴求，只能敬陪末座。深知女性長期遭受性別歧視的她因此認為「慢慢來比較快」，當社會制度發展越健全，越能鞏固與尊重女權。

我所認識的埃及女性們，越年輕的知識分子，越是與男性平起平坐，在咖啡廳抽起水菸一點也不輸男性。在埃及革命後更全力投入政治改革和關心公共事務，宗教已不再是約束或控制她們的選項，齋戒月期間，她們奉行禁食，時間允許下則參加祈禱。

這群新的埃及女性，在未來十年、二十年會成為社會重要的推手，如同其他選擇戴頭巾或整年穿著長袖上衣、長褲的女性一樣，這是她們各自對信仰的奉獻和抉擇，但並不影響她們對革命和理想的追求，希冀未來她們能為埃及女性爭取更多的權利，甚至能教育大眾尊重更多社會上弱勢的女性，也盼望有朝一日，我們能終止性工作的哀歌。

——原載自《勇闖埃及：貧民窟、性工作者、茉莉花革命》，木馬文化出版，二〇一九

褚阿北的哲學蹲馬步

問題1：什麼叫做「好工作」？

施盈竹是我一個非政府組織（NGO）工作領域的朋友，我們都叫她英文名字Emma，因為她中文名字的英文音譯「Shih Ying Chu」，跟我中文名字的音譯「士瑩．褚」聽起來簡直一模一樣，所以我們萬一同時出席國際場合，被點到名的時候，一定會很困擾吧？（笑）

其實在去埃及之前，施盈竹已經在東帝汶跟其他幾個國家，以志工的身分做過類似的志願者服務，目前她在中國一家專門為鄉村建設的「中國鄉建院」服務，是機構裡面唯一的一個臺灣人。

我跟她用簡訊確認這篇文章的時候，剛好是嚴寒的冬天，她說她沒辦法立刻看內容，要等到明天，我好奇的問她為什麼，她解釋說因為人正在山西的偏遠農村進行調查研究工作，因為沒暖氣，每天起床面對零下二十度的低溫，手指要冰凍了，所以沒有辦法冒著刺骨寒風去開電腦，你就可以想像她工作的環境有多麼艱難。

看了施盈竹的故事，你還會羨慕她選擇這份工作，到世界各地去幫助各式各樣的人嗎？

大多數人，會覺得這是一份好工作嗎？

你的父母，會贊成你去做這份工作嗎？

每個人都希望找到「好工作」，但是什麼工作才叫做「好工作」？

每個人心目中認為的「好工作」，一樣還是不一樣？

如果不一樣的話，是別人眼中認為好比較重要，還是自己認為好最重要？

在這篇文章當中提到哪一種（或哪幾種）工作，是你認為好，但是你身邊大多數人都覺得不好的？

然後再想想看，這篇文章中有沒有哪一種（或哪幾種）工作，是大多數人都覺得好，但是你自己卻覺得不好的？

請至少兩方各想出一個例子，然後回答，對你來說，一份「好工作」的三個條件是什麼？

＊提示：

把一件理所當然的事（比如「好工作」）想得更深，是一種讓思考「深化（deepening）」的功夫。

這時候，可以從至少兩個角度來想：

1.是「誰」在想（或問）這個問題？

2.他「為什麼」要想（或問）這個問題？

知道這個「誰」，究竟是老師、父母、祖父母、人力仲介，還是自己，從他們的立場去思考，就可以幫助自己想得更深，而不是草率的說：「我又不是他，我怎麼會知道？」

雖然你不是對方，不認識對方，但很多時候，只要你從對方的立場去設想，其實當然能夠知道！

問題 2：什麼是「對」、「錯」？

我怎麼知道什麼是對的，什麼是錯的？

社會上普遍都認為性工作者靠出賣自己的身體賺錢，是錯的，我們從小也都被這麼教導，但是這對與錯，誰有權利決定？

施盈竹認為性工作者選擇做這份工作，是對的還是錯的？你在文章中，是怎麼看出來施盈竹是這樣想的？證據是什麼？

那你認為性工作者選擇做這份工作，是對的還是錯的？為什麼？

性工作者在社會上受到歧視，甚至各式各樣的侮辱，是誰的責任？為什麼？所以如果要做選擇，性工作者在社會上，算是「好人」還是「壞人」？為什麼？是由誰來決定一件事是對的，還是錯的？

誰能決定一個人是好人還是壞人？如何決定？

在學校，也有所謂的「好學生」和「壞學生」，這兩種學生的分別是什麼？我們能說「好學生」就是「好人」，而「壞學生」就是「壞人」嗎？

一個老師如果幫助「壞學生」，我們會說他是一個「好老師」，但是施盈竹去幫助性工作者，卻會被人質疑「你為什麼要去幫助壞人？」

讓我們透過「對」與「錯」、「好」與「壞」的思考，分辨「事實」跟「投射」的區別，知道什麼是事實，什麼並不是事實，只是我們道德、倫理觀念的投射。最後一個耐人尋味的問題是：我們道德、倫理觀念的投射，又是從哪兒來的呢？

一

誰是逃難者？

這一篇選文的目標——

- 「難民」作為概念的本質
- 挑戰刻板印象進行「問題化」的能力

誰是逃難者？

褚士瑩

生長在和平中的人，很難想像「逃難」是任何時代，可能發生在任何人身上的事。

除了戰爭爆發之外，地震、洪水、大火這些天災，可能發生在地球的任何一個角落，讓我們的身分，瞬間從一個普通人，變成一個逃難者。這是我們很難想像，不願意想像，卻是有可能發生的事。

甚至在富裕的日本，隨著中小型鄉鎮的經濟衰退、高齡老人的超獨居時代來臨，也形成了另外一種「購物難民」。

「購物難民」指的是在自家徒步十分鐘左右的距離內沒有商店，要買生活必需品十分不方便的人。因為經濟太差，許多地方車站商店街原本提供完整生活機能的各種小店，都紛紛因為經營不下去而拉下鐵門，如果是行動不便的高齡者，無法自己開車、騎車，當地也幾乎沒有任何公眾交通工具可以使用，也不會使用電視或網路購物、宅配到府，這些老人家就因此陷入就算有現金，也無法買到生活必需品的窘況，甚至在屋內餓死、熱死、渴死很長時間後，才被發現的情形。

這些老人家即使身在富裕、便利的國家，也實質過著難民的生活，但是他們甚至無處可逃。

《逃難者》是一本結合了德國納粹（一九三八）、古巴移民潮（一九九四），到敘利亞內戰（二〇一五）三段史實的逃難故事，在閱讀這本書時，我的記憶立刻回到自己站在維也納車站，看著敘利亞難民前往德國的轉運大站的情景。

一般民眾對於難民的刻板印象就是「又餓又窮又可憐」，但是這用來形容我眼前的這些難民並不符合。

他們很多是醫師、律師，或是有錢人家的青少年，在維也納車站裡的超市結帳的時候，他們掏出五百歐元的大鈔付錢，我這輩子從來沒有用過這種大鈔。

當時，許多人看到敘利亞難民手中的大鈔，或是最新款的 iPhone，就下了簡單的結論：他們根本不可憐、不需要幫助。

英國《獨立報》因此寫了一篇文章，我很認同這個標題：「很訝異敘利亞難民有智慧型手機嗎？很抱歉我必須告訴你，你是大白痴。（Surprised that Syrian refugees have smartphones? Sorry to break this to you, but you're an idiot.）」

難民的「樣子」，或許跟我們想像中不同，卻並不代表我們的刻板印象是對的，而他們不需要幫助，只是他們需要的幫助，跟我們想像的不一樣。

敘利亞內戰爆發之前，就是個手機擁有率超過百分之八十七的國家，我在緬甸與內戰區域的難民工作很長的時間，清楚知道智慧型手機是難民最重要的財產之一，對他們來說甚至比食物、衣服還要重要。

在富裕國家智慧型手機不是必需品，我身邊只有最簡單的「智障型手機」，甚至沒有手機，但在貧窮、戰亂的地方，無論是敘利亞還是緬甸，非洲還是中東，智慧型手機不是為了炫富，也不是有錢人的專利，而是跟親人保持聯繫、找尋生路的救命工具，不能用我們自己的經驗來套用難民對於智慧型手機的依賴。

我可以簡簡單單的從維也納搭飛機到德國，飛行只有短短一個小時，但是要花眼前維也納火車站裡的難民多長時間？是一個星期？一個月？還是一年？就算站在他們面前不到一公尺的距離，我真的知道眼前穿著光鮮亮麗，口袋隨便就可以掏出五百歐元大鈔，埋頭滑著iPhone的敘利亞難民，他們的人生正在經歷什麼嗎？

世界很大，而我們知道的很少。面對無法理解的差異時，我們並不需要批評，但是需要去了解更多，去包容、接納，並試著站在對方的處境，從對方的角度來設想。而敞開自己，去閱讀別人的故事，就是一個很好的練習方法。

我也相信，有一天當一切塵埃落定，難民會逐漸找回他們的聲音，無論是在德國，在古巴，在敘利亞，在緬甸，還是日本。因為他們會說話，會寫字，會回憶，會記錄歷史，他們會告訴世人以及後代子子孫孫：「當年，這個世界是這樣對待我們的。」

我們對待逃難者的方式，就是我們對待世界的方式，同時也是世界對待我們的方式。印度聖雄甘地說的這一句話：「成為你在世界上想要看到的改變。（Be the change you wish to see in the World.）」一直讓我謹記在心，不是因為我是國際NGO工作者，而是因為我是一個人。

——原載自《逃難者》，親子天下出版，二〇一八

褚阿北的哲學蹲馬步

問題：難民看起來應該是什麼樣子？

我們常聽大人說，學生要有學生的樣子，女生要有女生的樣子，但是我們卻很少去質疑這些說法的合理性。

那麼，難民也應該有難民的樣子嗎？

在一般人的刻板印象裡，難民就是應該「又餓又窮又可憐」，所以當我們看到難民拿出五百歐元大鈔，或是智慧型手機，甚至是他們穿戴乾淨整齊、看起來不夠可憐時，就會在心裡畫上一個問號，覺得他們沒有那麼值得幫助。

近來我在緬甸的工作內容，大部分是跟難民營的工作者培力有關，他們是所謂的IDP（Internally displaced persons），中文翻譯為「國內流離失所者」，定義上是指被迫逃離家園但仍在其祖國境內的人。他們雖然在法律意義上，不屬於難民，但是他們因為國內的武裝衝突、普遍暴力和人權問題而被迫逃離家園，逃難時在邊境被鄰國的軍隊或武力阻擋無法跨越，所以當然是實質的難民，只是沒有難民的身分，也因此無法得到國際組織照顧、安置的福利。

或是在文章裡提到的，因為自家徒步十分鐘左右的距離內沒有商店，要買生活必需品十分不便，所形成的「購物難民」。他們生活在富裕、便利的國家，國內也沒有戰亂，如果以一般人的標準，絕對不符合難民的條件，卻也被迫實質過著難民的生活。

回到敘利亞那些因戰亂逃離家園的難民身上，他們就像是你我。他們不過是做了你我在那樣的情境下會做的事。如果你在出逃時會比較計算哪個國家的福利制度最能安身，他們也會；如果你會為了逃離戰火或迫害而傾家蕩產甚至偷拐搶騙，他們也會；如果你身為家中最身強力壯的那個人，會願意先冒死非法進入他國尋求庇護，讓其他較脆弱的家庭成員多年後能合法團聚，他們也會；如果你會在成堆的捐贈衣物裡挑揀比較好的衣服，在破爛竹屋裡要求一個隔間擁有一點隱私，他們也會。

如果你到了異地會需要尊嚴，不想被施捨，他們也會。

面對無法理解的差異時，最需要的是包容和接納。學生該有什麼樣子？女生該有什麼樣子？難民該有什麼樣子？其實我們最不需要的，就是這些用歧視包裝過的「寶貴意見」。

最後，請試著從文章的敘述裡，闡述你認為難民應該是什麼模樣，以及三個具體幫助難民的方法，或許可以推翻過去對難民的刻板印象，對他們有更進一步的認識！

第二章

人際關係和你想的不一樣

十

為什麼亞洲人朋友很多，歐洲人朋友卻很少？

這一篇選文的目標——

- 認識「群我關係」
- 重新思考「人際關係」

為什麼亞洲人朋友很多，歐洲人朋友卻很少？

褚士瑩

如果我問「你有幾個朋友？」你會怎麼回答？

臉書上的朋友都是朋友嗎？那麼LINE上的呢？

我常常跟剛認識的德國朋友開玩笑，「信不信？我可以一猜就知道你有幾個好朋友。」

「怎麼可能？」他們完全不相信。

「你有三個好朋友。」我說。

「你怎麼會知道！」德國人覺得這簡直是太神奇了。

「因為你們德國人，每個人都不多不少，剛好有三個朋友啊！」我笑著解釋。

我的德國朋友一開始聽到這種說法，都會覺得我胡說八道，但是仔細算算，才發現他們真正的好朋友，的確就是不多不少，剛好三個。

因為務實的德國人，要開一輛車出去玩，四個人剛好。

一起吃飯，一桌四個人剛好，不多不少，可以聊天深談，又不會無聊。除非其中一個人搬到外地，或是不幸去世，否則德國成年人不會去交新的好朋友。「我已經有好朋友了啊！」

這就是為什麼許多成年後才搬到歐洲居住的外國人，覺得歐洲人的交友「小圈圈」很難打入，因為很可能在你們相遇之前，三個好朋友的缺都已經「額滿」了。如果要加入，不能只跟其中一個人成為好朋友，還要有能夠跟其他兩個好朋友，也成為一輩子好朋友的打算才行。所以成年以後，歐洲人整個擇友過程很像層層的工作面試，不，應該更像重重闖關的選秀節目才對。

我記得有一回問正在芬蘭念書的臺灣媳婦李玉惠：「定居在芬蘭，你看到芬蘭人的人際關係與家庭關係，跟臺灣人有沒有什麼差異呢？」

「芬蘭人是慢熟的，人際關係亦是如此。」她想了想說，「目前我所接觸過的芬蘭家庭都是很有愛、很密切，但是家人之間卻沒有強烈的依賴感。芬蘭人從小就被教育要獨立自主，大概十八歲之後，很多芬蘭年輕人都會搬出去住，讀書工作養活自己。芬蘭家人之間什麼都談，不避諱說出自己的難處。這和臺灣家庭關係很不一樣，臺灣人和家人相處時往往太過在意對方的看法。父母太過於保護孩子，孩子太依賴父母。」

實際上，芬蘭的父母跟成年已經有工作的子女一起出去吃飯，也會各付各的。朋友之間一起出去酒吧喝酒，也一定是各自點酒、各自買單。

「因為每個人喜歡的酒品牌不同，價格不同，喝的速度也不同，幫別人出酒錢，是完全不公平的事啊！」我的芬蘭朋友說。

「就算你跟你的父親去酒吧喝酒，也是各付各的嗎？」我問。

「那還用說！」

確實如此。臺灣對芬蘭的興趣，與其說在教育改革，還不如說是人際關係之間的省思，這一點只要從坊間跟芬蘭相關的中文出版品，就可以看得出來。

就像李玉惠說的：「很多臺灣人到芬蘭後，還是會把在臺灣待人處事的習慣帶來這裡，有時看似和睦，但有時卻較勁意味十足，不過還是有真誠相待、人情味濃厚的臺灣人。這世上，就是一樣米養百樣人，我常勸一些在芬蘭的臺灣人，不要太過在意。」

「臺灣人跟芬蘭人在芬蘭的人際關係，或許是受到這裡的教育文化背景的影響，或是生活上的衝擊，久而久之，有些在芬蘭的臺灣人在思想上和芬蘭人越來越相近，習慣相近後，當然摩擦也就變少。大多芬蘭人對臺灣人是友善的，也會平等的對待臺灣人。在這裡要學會真誠待人，芬蘭人不做表面關係的。」

「你的觀察，一般芬蘭人身邊有幾個好朋友？」我又接著問。

「這要看每個人的個性，我見過身邊較活潑積極的芬蘭人，朋友很多，活動很多。也遇過身邊只有一到兩位好友的芬蘭人，用五隻手指頭來算都夠用。不過，芬蘭人所謂的知心好友還真的不多，平均兩到三位而已。」

表面上好像亞洲人朋友會五湖四海，歐洲人則孤僻、朋友很少。但是仔細想想，我們的朋友夠不夠深？夠不夠全面？每個朋友都有特定的時空條件，有些可以聊戀愛，但是不適合談工作；有些可以逛街購物，但是經濟有困難時不能借錢；有些人家可以借住，但是個性很難相處。對於我們來說，這些都可以是朋友。

我們有很多朋友，但是在許多歐洲人的眼中，這些只有在特定條件下可以交往的人，根本就不是好朋友。

我可以想像芬蘭人在和你聊天之後，一針見血的說：「你根本就沒有朋友。」然後你一氣之下就跟他絕交了。但是他可能比你任何朋友都還要了解你，而且他說了實話。

——原載自《商周.com》，「追夢，和你想的不一樣」專欄，二〇一五

褚阿北的哲學蹲馬步

問題1：「群我關係」是彼此衝突的嗎？

「合群」是不是就要失去「自己」？

在這個世界上，「自己」當然是對我們的生命來說最重要的人，所以為了群體而犧牲自己，似乎是一件不理性的事。

但事實真的是這樣嗎？

你有沒有分組討論、或是進行分組報告的經驗？

如果你是一個典型的臺灣學生，應該會覺得這種分組形式很沒有效率，還不如自己一個人做吧？因為一群人往往討論不出什麼共識，最後就分派工作，每個人進行自己的一部分，最後只是草率的拼湊起來，但是水準卻不怎麼樣，既不是你的想法，也不是我的想法，卻必須叫做「我們的」想法。

為什麼我們跟一群人一起思考的時候，反而想不出什麼好的內容？

思考難道真的是必須自己一個人，安安靜靜的關在房間裡面，才能進行的活動嗎？

為什麼我們不能跟別人一起思考？

一起思考，會不會產生一加一大於二的效果？

無論是臉書還是谷歌，亞馬遜線上商店還是共享經濟Uber，都有一個絕頂聰明的創辦人，但是它們之所以能夠具有如此巨大的規模跟影響力，絕對不可能靠一個優秀的老闆可以做到——它們都有強大的團隊，而這團隊裡的每一個人，都在做著自己單打獨鬥時，不可能做到的事。

一個人可以開一個行動咖啡館，但是只有自己一個人，一定不可能變成星巴克。

所以我們是不是高估了一個人可以做到、想到的事？

當每個人都以自己為中心的時候，團隊就成了讓自己慢下來的累贅。有些覺得自己非常優秀的運動選手，自己參加個人項目時表現卓著，但是在團體項目當中，卻因為急於個人表現，而無法為團隊得分。

大自然當中，確實有些動物把群體當作「競爭」的對象，而不是「合作」的對象，所以過著離群索居的生活，也有些動物相信群體，因此靠著群體力量生活。這個想法，是從哪裡來的？父母？學校？還是大眾媒體？

如果可以自己決定的話，你心目中理想的「群我關係」，屬於哪一種？

問題2：「人際關係」，是跟別人的關係嗎？

這個問題乍看之下，好像是在說廢話。

但是再想一想，通常人際關係不好的人，是只跟「別人」的關係不好，但是自己的內在平靜和諧，還是人際關係不好的人，跟「自己」的關係也不好？

喜歡旅行的我，也很喜歡馬克·吐溫說的一句話：「旅行是偏見，偏執和狹隘的殺手（Travel is fatal to prejudice, bigotry, and narrow-mindedness.）」。當我到世界各地旅行後，接觸跟自己原本生活環境、語言、社會階層都有很大差別的世界，原本我以為我是去認識世界，但是慢慢的，我發現旅行的過程，其實是在幫助我透過對不同社會細節的觀察和理解，進一步了解自己是什麼樣的人。

然後我也發現，只要是跟別人關係不好的人，肯定跟自己的關係也不好，有些人以為去世界旅行可以逃避現實，但是卻無法逃避自己。

一個不喜歡自己的人，是無法享受旅行的。因為在旅行中，我們都時時刻刻面對自己的弱點，無論是語言、體力、毅力、還是判斷力。

跟別人「難相處」的人，跟自己並不會比較「好相處」，因為「自己」就是每個人的「人際關係」裡面，最核心的那一個人啊！

如果你很不喜歡小學時候的自己，很有可能，你也不會跟小學時代的老師、同學保持聯絡。

可是如果你很喜歡小學時候的自己，那麼現在的你，身邊肯定還有很多小學時代的朋友。

請試著想一想這兩個問題：

1. 現在的你，跟自己的過去，處得好嗎？如果答案是否定的，那要如何跟過去的自己和好？

2. 未來的你，會討厭現在的自己嗎？

如果答案是很有可能的話，那現在的我，要怎麼樣做才會讓未來的我喜歡？

這一篇選文的目標——

・「問題化（problematization）」的應用。

・本質思考：「犯錯」是好事，還是壞事？

十

為什麼老師不能犯錯？為什麼不應該嘲笑英文不好的人？

為什麼老師不能犯錯？為什麼不應該嘲笑英文不好的人？

楊宗翰

「你好，我是維納（Vinay），我現在已經到斗六車站了，我放完腳踏車後就會到你們那邊去喔。」電話一頭傳來讓我嚇得半死的流利中文。

維納之前在新加坡當電腦工程師，後來把工作辭掉到亞洲各國去旅行。他去過韓國、越南、馬來西亞、寮國、大陸，最後來到臺灣學中文，然後在回印度前騎腳踏車環島，途中來到了我們學校。

他竟然在師大學九個月的中文就這麼厲害了……想到我學了十幾年還都是處在一種很悲劇的狀況，更別說他還可以用中文寫網誌！

要不是大三曾去過印度，不然我對這個全球數一數二奇妙的世界，應該會跟眾小鬼們一樣完全霧煞煞。就連老師們，也對這個會講中文的印度男生感到非常好奇。

其中一堂課一開始，維納簡單的自我介紹說他的國家在印度，然後在黑板上畫出印度和新德里時，老師舉手發問了：「那個杜拜在那裡？」

「……蛤？」維納有點聽不太懂。

「那個……杜拜在阿拉伯那邊，離印度有點遠。」我同時跟維納和學生們解釋，然後學生們發出爆笑。

講到印度的食物時，維納提到印度吃素的人口很多，老師又舉手了：「印度人是不是都不吃豬肉？」

「不是豬肉，我們通常不吃牛肉，不吃豬肉的是穆斯林。」維納回答，然後學生們又發出爆笑。

我當時也跟著一起笑，但是卻隱約發現好像有點怪怪的。

直到後來，老師第三次舉手：「你們是不是有那個很多肉串在一起，然後用削的那個？」

「……蛤？」維納再度對不到頻。

「那是Kebab，沙威瑪……應該是土耳其那邊的。」我跟他們解釋。學生再度哄堂大笑拍桌，還一邊起鬨老師好傻好天真。

此刻，我才發現事情已經嚴重到不可收拾了。

因為接下來，老師不敢再問問題了，學生們更是沒有一個敢舉手，而我當下卻完全不知道該怎麼處理這個窘境。

的確，這位老師原本對印度的印象充滿著錯誤，所以常常問錯問題。但那又怎樣？我很清楚大部分的學生其實也不知道沙威瑪源自土耳其，如果老師不問這些「傻問題」，我根本就不會想到他們可能會跟杜拜搞混，或是把印度人跟穆斯林混為一談。就是因為她問了，即便被糾正，但也馬上就學會了啊。

「如果不讓學生犯錯，到底要怎麼指望他們學習？」一位無緣來到學校的土耳其沙發客曾這麼跟我說。

因為我們不允許學生犯錯，老師們更不被允許犯錯，搞到現在整個社會都處在一種什麼都不要做就都不會錯的擺爛泥沼。

學生擔心問蠢問題被嘲笑而寧願一知半解的繼續裝懂，這是一件非常非常恐怖的事情，不要再把這個問題推給什麼臺灣人比較害羞、或是學生不想學了。如果我們不再因為學生寫錯答案就責備他怎麼那麼笨，而是替他高興說他即將要學會了；如果老師不再堅持自己必須當個什麼都會的完人，而讓學生知道他們也是個會犯錯需要不斷學習的正常人，老師們會不會教得比較開心？學生們會不會有勇氣跟老師分享他的困惑？

同樣的道理，也在來自西班牙的薩爾瓦（Salva）拜訪臺灣的旅程中得到印證。

「兩年前，我在巴塞隆納接待了一個日本人，他當時跟我說他已經去過了五十個國家，我這十六年來都在惠普工作，要像他那樣去那麼多國家對我來說有難度，但是，我可以在家裡接待不同國家的人啊！所以，我決定用接待五十個國家的旅人來替代去五十個國家旅行的目標。」薩爾瓦告訴我他接待沙發客的緣由。

薩爾瓦是位住在巴塞隆納附近的西班牙人，已經接待了四十多個國家的沙發客，即將要達成兩年前所設下的目標。即便他當時人在臺灣，他還是將鑰匙交給鄰居，請鄰居幫忙接待一位上海沙發客到他家裡住。

「你怎麼會想要來臺灣？」我問。

「我已經接待過兩百多個沙發客了，最常接待的就是來自臺灣的沙發客，已經有二十幾個，他們人都很好，也一直邀請我來，所以這次就換我來拜訪他們。」薩爾瓦答道。

薩爾瓦從來沒有來過臺灣，但他在臺灣卻已經有一大票的朋友等著見他，搶著要帶他出去玩，他煩惱的不是要住哪裡或是要去哪裡玩，他煩惱的是他的假期根本不夠他去拜訪所有想要邀請他的朋友們。

不過，薩爾瓦還是決定在他滿滿的行程中，硬是塞進我們學校的活動。出發來臺灣前，薩爾瓦就先在網路上跟我討論他要分享的內容，也問了我許多有關學生的問題，讓我感受到他對來學校這件事情非常的重視。

照往例，我帶著薩爾瓦到班上去跟學生聊天，他介紹一些西班牙的文化、有名的東西，還有教學生一點西班牙文。下午，我則把他丟給一群正在排練英文話劇的學生，叫薩爾瓦當導演。過了幾天那群學生還真的得了名次，我想那些評審一定想像不到，我們竟然可以找到一個西班牙人來幫這些國中生導這齣關於花木蘭的話劇。

事實上，在過去拜訪學校的沙發客中，薩爾瓦應該可以算是英文講得最不流利的，他在巴塞隆納的三十年來幾乎沒有練習過英文，直到兩年前，他開始接待沙發客，發現自己完全沒辦法跟客人們對話，只能在一旁傻笑，才開始有意識的去使用英文。漸漸的，他可以跟沙發客們講簡單的對話，然後再漸漸的，終於可以自信的用英文聊天。兩年後的現在，他在臺灣的一間鄉下國中裡，用英文對著一群國中生介紹西班牙。

「我真的從來沒有想過，有一天我會有站上講臺幫學生上課，而且竟然還是在一個亞洲太平洋上我從來沒來過的小島，用英文！」課程結束後，薩爾瓦不斷說我們為他的人生開啟了新的一頁。

的確，學生們有時候會因為他的口音而聽不懂他在說什麼，當然學生的英文也常常讓薩爾瓦聽不懂。但我反而很期待這樣子的狀況，薩爾瓦本身也經歷過自己英文不好，怎麼講別人都聽不懂的狀況，所以他完全不會因為學生聽不懂而感到不耐煩，他極度有耐心的用大量的肢體語言或是用不同的說法跟學生溝通，我甚至覺得就算把他消音，光看他的表情和動作就可以大致理解他在說什麼了。而這正是我最希望學生們見識的東西，對我來說，這是遠比學英文或是其他語言還要重要太多的能力。

溝通，是一種除了語言之外，還得加上音調、語助詞、動作、表情等一切的綜合，一個人可以只用最簡單的英文，加上表情讓外國人了解，甚至可以完全不用英文，只用嗯嗯啊啊之類的聲音和動作就表達出自己想幹麼。相對之下，如果一個英文很好的人對上一個英文不太好的人，卻堅持用極度流利、詞藻優美的艱澀英文溝通，即使他講得再好再正確，只要對方聽不懂，那他其實反而不如一個不會講英文但很努力要跟對方溝通的人。

Never make fun of someone who speaks broken English, it means they know another language.（永遠不要去嘲笑那些英文很破的人，那代表他們會說另外一種語言。）

很多人很怕自己英文有奇怪的口音或是講錯會被笑，所以要嘛死都不講，要嘛就是花一大堆的時間在模仿美國人或是英國人講英文。但我會說，如果你們遇到一個會因為你英文講得不好或是有臺灣口音就嘲笑你的外國人，甚至是臺灣人的話，真的沒必要委屈自己跟那樣的傢伙做朋友。

當完小劇場的導演之後，薩爾瓦又被一群一年級的學生們拖去踢足球，我沒辦法到現場去看他們的情形，但是看到薩爾瓦下課後滿身大汗的跑去買了好多點心請學生吃，我相信他們應該「溝通」得非常成功。

——原載自《換日線》網站，空屋筆記專欄，二〇一六

褚阿北的哲學蹲馬步

問題1：面對權威，我們應該「服從」，還是「質疑」？

我們在社會上，往往會相信權威，甚至畏懼權威，所以認為學校說得一定是對的，老師說得一定是對的，即使發生了像文章中老師犯錯的情況，也很少有學生敢出聲指正。

老師是「傳道、授業、解惑」的使能者（enabler）。在定義上，使能者就是一個「運用自身擁有的專業知識和技巧，調動服務對象自身能力和資源、發揮其潛在能力，使其有效改變的社會工作者」，不代表他們不會犯錯。至於學生的責任呢？若問起臺灣的學生，他們可能會反射性回答：「我現在的責任就是把書讀好！」但什麼叫做把書讀好？是每次考試考到一百分、學測滿級分嗎？如果每科都滿分，卻在校園裡虐貓、在捷運上砍人，這樣算是把書讀好了嗎？

想一想就知道，學生的責任「把書讀好」，其真正的意思不是把考試考好，而是「學習」。學習的對象包括教科書、考試需要的內容，當然也包括學習做人、學習做事。在我來說，在任何資訊其實都可以在短短幾秒內透過Google查詢、計算的今日，比記憶背誦任何知識都更加重要的，是具備「學習的能力」，以及如何具備「獨立思考」的能力——包含對老師的說法有勇氣提出質疑。一旦知道怎麼學習、怎麼思考，未來的人生無論遇到什麼情狀，都知道該怎麼面對。所以如果一個學生不想學、對學習的重要性不能理解、得到了對的答案卻做了錯的事（想法跟行動脫鉤），就是沒有盡到學生的責任。

不管面對老師、學校、政府，或是任何形式的權威告訴我們的每一件事，我們應該抱著批判性思考的精神，深入思考。這並不叫做「多疑」，而是一種對自己「負責」的態度。

問題2：犯錯是「好事」還是「壞事」？

我們都討厭犯錯。害怕犯錯。

但我們似乎沒有注意到，人們真正討厭的，並非「犯錯」本身，而是犯錯所帶來的「後果」。比如說犯錯「很丟臉」，小孩犯錯會被大人責罵，而且犯錯以後因為要重新來過所以非常「浪費時間」，我們之所以認為犯錯不好，指的都是犯錯帶來的後果不好，似乎不是「犯錯」本身真的有什麼不好。

「犯錯」，有沒有可能不但沒什麼不好，甚至是一件「好事」？

我知道這樣聽起來很怪，但請不要考慮犯錯的後果，試著直接舉出三個「犯錯」的好處：

1.

2.

3.

你可能會非常驚訝的發現，犯錯本身，其實是有很明顯的好處的！如果犯錯的好處這麼多、這麼大，那麼「犯錯」可不可以是一件「好事」？

十

你在等什麼？

這一篇選文的目標——

・思考「過程」與「結果」的本質如何變化

・如何藉由「問題化（problematization）」成功推翻「預設（presuppositions）」

你在等什麼？

林繼生

如果要為「人生」寫「一字小說」，我的作品就是「等」；如果寫「二字小說」，那就是「等待」。

不管天地創造、人文創意、科技創新，都來自「等待」，因為「等待」才有一切。等待是一種美德，是一種最溫馨的改變，以歲月為酵母，以期盼的心情，預約未來的美好，其中融入希望與喜悅。對人情來說，因為「等待」之故，讓一切變得更有味道，更有彈性，更有想像。我們可以說，整個人生就是一個等待的人生。

以往「家書抵萬金」，因為「魚雁往返」不知要飛多久游多遠，還要注意中途風波惡，水深波浪闊，無使蛟龍得；現在痴痴等待的可能只是一個言不由衷的「讚」。以前寄書長不達，現在一個Line三秒行遍全世界。以前等待越久越驚喜，等待越長越珍惜，現在「已讀不回」是常態。

等待本是一種美德，從等待看出個性，看出EQ，更看出修為。蒼鷹攫食，惡虎撲羊，高手出招，甚至小一點的捕蠅草，都是善於等待最佳時機的。

但曾幾何時，現代人消磨等待的時間已趨於一致，大家都靠滑手機捱過等待時光（感謝手機，不然漫漫等待時光還真不知如何「捱」過呢？）智慧型手機竄起，改變「等待」的文化。君不見等公車時，以往的人是左顧右盼，順便瀏覽街景（不管它美麗與否），現在人則是低頭不語，若有所思（其實最發達的是手指頭，最遲鈍的是腦袋）。以前在餐廳用餐，正是親子或朋友互動最佳時機，現在則忙著拍美食照片，然後上傳社群網站，完全沒有「溝通」的時間。其他諸如等女朋友、等上課、等看病、等考試，智慧手機已完全改變「等待」的文化與風景，「等待」已無法考驗修為，因為在「手機」之前大家定靜如老僧，「功力」相同，無分軒輊，其實大家都是「等待」的輸家，真正的贏家是「手機」。

我只能說，時代進步，等待已經質變，成為「等待4.0」了，還在進化ing。

等待的長短不在時間，而是感覺。

尚皮耶·居內（JeanPierre Jeunet）執導的《未婚妻的漫長等待》（A Very Long Engagement），故事背景設定在第一次世界大戰期間一九一七年的法國，描述女主角接獲未婚夫為國捐軀的噩耗，但她不信，仍不斷的等待他歸來，同時蒐集資料，還原真相，企求解開未婚夫的生死之謎。從此等待與希望就成了她生命中重要的支撐，到最後，「等待」不只是「選擇」，「等待」本身更是結果。

「等待」的元素常隱藏在許多「閨怨詩」中，漫漫的等待糾結綿綿的思念，構成無邊無際的哀愁與餘韻綿邈的創作。

哲學家尼采說：「許多人浪費了整整一生去等待符合他們心願的事。」結果一生就被「等」完了，因此，生命的本質是一個過程，學會努力然後等待，奉勸大家「不要等待千載難逢的機會，而要抓住平凡的機會，使之不平凡」。等待會有好因/姻緣，等待也會成蹉跎，等待是藝術，等待更是哲學。

人生其實就是等待的擴充與蔓延；人生從「等待」開始，也在「等待」中結束。

當我們學會享受生活中的每一段時光，而不是抱怨、焦躁不安，那麼你會發現等待也是美好的，每天都是陽光明媚。因此，等待絕不是無所事事，遊手好閒。不管你等什麼，所謂「臺上三分鐘，臺下十年工」，等待是一種沉潛，也是準備、淬鍊的過程，暫時的等待是為了將來一鳴驚人。好吧，既然孔子都說：「飽食終日，無所用心，難矣哉！不有博弈者乎？為之猶賢乎已！」那麼我勉強同意，即使滑滑手機也總比無所事事好。

——原載自《人生兩好球三壞球》，三民書局出版，二〇一九

褚阿北的哲學蹲馬步

問題1：「等待」本身可不可以是一種「結果」？

你是不是那種認為自己只要機會到來，就會一鳴驚人的人？

別等了！如果尼采還在世的話，他可能會這麼勸你。

許多人浪費了整整一生去等待符合他們心願的事。結果一生就被「等」完了，因此生命的本質是一個過程，還不如不要等待千載難逢的機會，而要抓住平凡的機會，使之不平凡。

這樣聽起來很讓人失望嗎？

我可能還有更讓人失望的壞消息：不但人生的「等待」，可能根本沒有「結果」，「等待」本身，搞不好就是唯一的「結果」！

我們都不喜歡等待，無論是排隊買珍珠奶茶、等考試成績出來，還是等心儀的對象回應你的表態，每一分鐘都像一年那麼久。但是我們會等待的，偏偏都是我們喜歡的事——像是珍珠奶茶、戀愛，或是我們認為重要的事，例如考試成績。

但仔細想想，排半天隊等到的珍珠奶茶，收到成績單，接到被喜歡的對象拒絕的簡訊，當我們等到的是這些不討人喜歡的結果，結果還那麼重要嗎？

難怪有人說，戀愛在雙方態度曖昧不明的時候，最美。

即使發憤圖強、努力讀書時，想像自己會有驚人的進步，也非常的美妙。

說不定，「等待」本身很好，比「結果」還好，或者「等待」本身可不可以是一種「結果」呢？

人類自從生到世界上，不就是開始了等待死亡的過程嗎？就像所有生物一樣，只是我們之中有些生命的時間很長，而有些很短，但是說穿了，我們都在「等死」。

來自挪威的青年史汀（Mats Steen）二十五歲時去世，他罹患稀有基因病症「杜興氏肌肉營養不良症」，醫生遺憾的告訴史汀的父母，這類病患很少能活超過二十歲，在死亡前，史汀經歷十幾年肌肉嚴重萎縮、無法行動的日子。但是他的爸爸卻說「史汀成功活到二十五歲了」。

等久一點才死，原來也是一種成功呢！

這就解釋了為什麼，長壽的人瑞，就算這輩子什麼事都沒做，也會被報紙專文報導，或是九九重陽節被奇怪的官員請到奇怪的臺上坐著，彷彿他們一直等不到死期的這種漫長「等待」，本身就是一種成就。

劇作家貝克特（Samuel Beckett），他認為人生是荒謬的「等待」。

貝克特無法得到母愛，但內心還是荒謬的等待著，因此寫了著名的《等待果陀》（En attendant Godot）表達存在的荒謬——人的內心始終懷著一種得救的期待，而所期待著的那個人事物，卻始終不來臨。

劇中有兩位主角：愛斯拉岡（gogo）是腿有病永遠走不直的人，因此時常撥弄他的靴子，佛拉米（didi）則是一個頭腦想不通的人，語無倫次，喋喋不休，時常玩弄他的帽子。他們倆天天在交叉路口等待果陀。最後來了一個男孩，告訴他們：「果陀今晚不來了！」貝克特藉此諷喻：人在暗昧中，雖然知道要走直路，人生應該有意義，應該期待，但是人憑自己卻始終走不直，也不明白怎樣使生命成功。

他們期待著。可是究竟期待什麼？為什麼要期待？「理性」本身對此一無所知，可是「期待」仍然存在，等待著那個不會來的果陀。

被醫生認為活不過二十歲的人，活到二十五歲才死，多出來五年的時間，就像《等待果陀》裡的gogo一樣，肢體無法行動的他，整天只能窩在地下室玩《魔獸世界》，根據他的父親估計，在史汀生命的最後十年裡，大概花了一萬五至兩萬小時在玩遊戲。

換算起來，這個時數，遠超過一個全職上班族十年的上班時間。

史汀生命最後的十年都在「等死」，甚至還比醫生的預期多活了五年，但是如果一個人死前十年，花同樣多的時間在上班，就像《等待果陀》裡的didi可能會做的那樣，毫無意義的忙碌著，把每天的時間用碎念填滿，卻沒有人會說這個人在浪費時間，甚至會說他認真工作、認真生活——雖然結果可能都是一樣的，那個拯救靈魂的「果陀」都不曾到來。

所以，有沒有可能他們等待的結果（果陀）是「假」的，而他們「等待」的過程，才是「真」的？

有沒有可能，我們從出生以後，到死之前，就是一個漫長的「等待」，本來就不會有什麼「結果」？

史汀多活的那五年，不就是成功「等待」死亡的結果嗎？

我們要怎麼定義「安寧病房」存在的價值？是「等待」還是「結果」？

問題2：無聊時滑手機、玩遊戲就是浪費時間、浪費生命嗎？

人生的價值來自「結果」，還是「等待」？

這個道理不難理解，只要有在用手機的人都知道，「等待」本身，當然就是結果！

如果我們日常花在等待的時間不滑手機，誰需要網路吃到飽，不是嗎？

就像林繼生校長說的，手機已完全改變「等待」的文化與風景，「等待」已無法考驗修為，因為在「手機」之前大家定靜如老僧，「功力」相同，無分軒輊，其實大家都是「等待」的輸家，真正的贏家是「手機」。即使菜沒上，車沒來，飛機誤點，排隊想買的珍珠奶茶賣光，我們在等待的時候，也已經滑了手機，得到了些新知，所以就算我們的等待本身沒有結果，等待本身就是結果，不然為什麼要網路吃到飽？

既然連孔子都說：「飽食終日，無所用心，難矣哉！不有博弈者乎？為之猶賢乎己！」林校長說他也勉強同意，即使滑滑手機，也總比無所事事好。

從哲學觀點看「存在」問題，其實不是正面的探討存在，而是側面討論人性可能達到的終極。

例如，蘇格拉底指出做一個真實的人，在於關心自己的靈魂，人生真智慧在於聽從那位在他心靈內的神的引導。老莊哲學，則指出真的人生要「遊於道」、「遊於無」，遊於超時空，超一切變化，「遊於萬物之祖」。

近代哲學家如斯賓諾莎（Spinoza），賴布尼茲（Leibnitoz），以及當代好幾位存在哲學家，如齊克果（Kieskegaard）、杜斯托也夫斯基（Dostoievski）、雅斯培（Karl Jaspers）、馬賽爾（G. Marcel）等，雖然知道自然不同於超自然，但並不把自然與超自然分割為互不相通的兩段，因為他們大膽的認為宇宙整體除非在永恆的觀點下，是無法了解其真相的。

連那些表面上把人生限於時空層次之內的哲學家如卡夫卡（Franz Kafka）、卡繆（Albert

Camus）、沙特（J. B. Sartre）等也都承認，人憧憬著一個非理性可以領悟，非人力可以達到的境界。從純理性主義立場，他們只得稱人的這種企圖為「鄉愿」、「空想」，因而把人的存在看成一個荒謬的事實。

當代存在哲學並非如一般人想像那樣倡導當下、現實的重要，鼓勵醉生夢死、活一天算一天的放浪生活，或對現實生活消極悲觀的論調。真正存在哲學，是憑主觀體驗，依據現實人生，來完成人生、深入探討生命的真義，只是它探討的方法和表達方式和傳統哲學不同而已，它不以「原則性」的推論為滿足，而是從現實的人的切身感受設法看出生命的指向。

不如停止自欺欺人，我們活著並沒有在等待什麼，只是在等待而已。

除非我們是在等死。但是在死之前，不要等待千載難逢的機會，只要抓住平凡的機會，使之不平凡，這樣就夠了。

畢竟在等待時大家都在滑手機的時代，再也沒有叫做「時不我予」，有的只是「我不知道時間是怎麼過去的」而已。

這一篇選文的目標——

- 認識全球化潮流下「移工」的定義與困境
- 理解「同理心（compassion）」的「單向」特性

十 關於愛

關於愛

Loso Abdi

我看著她透明如玻璃般的眼珠子，美麗又閃耀著光。一直都是這樣。她，那美麗雙眼的主人，將會過來抱住我，親我的臉，然後我們會一起大笑。

與以往不同的是，我這次笑了很久，在這雙美麗眼睛的主人鬆開我的脖子後，我仍然笑著。當她要求換我抱她的時候，我仍然一直笑，笑到我眼淚都流出來了。

「阿姨哭了？」她的小手撫摸著我溼透了的臉頰。

「親愛的，因為阿姨笑得太用力了，所以眼淚都流出來了。」我笑著回答，然後馬上把她抱起，因為這樣我們就不會對到眼。我不希望她看到我眼中的悲傷。

我抱著那雙美麗眼睛的主人，抱了非常久，我拍著她的上背，直到她的呼吸聲變得規律，這意味著她睡著，進入夢鄉了。

她，那位擁有美麗眼睛的小女孩，已經和我在一起九年了。我來到她父母在龍潭的家，差不多是她一歲的時候。嬰兒椅上的她微微蜷縮，沒出聲，也沒動作，只有眼珠子十分靈活。

「小姐，請問是哪個孩子要交給我照顧呢？」我問了當時開車送我過去的仲介。

「她。」她把目光轉向那個小嬰兒。

「但……」

「你的雇主會教你怎麼照顧好她，她就像其他孩子一樣。如果你有什麼不懂的，就馬上打給我。」她打斷了我，話講得像一列快車般沒有停頓，連講一句話的機會也不給我。

當時我只能點點頭，聽著仲介所說明的一切。就像在儲備中心教的那樣，對所有提問，回答「是」就對了。

「你願意不管時限一直工作嗎？」

「是。」

「會遵守雇主所有的要求嗎？」

「是。」

「你可以煮豬肉嗎？」

「是。」

「你可以接受沒有任何休假嗎？」

「是。」

仲介離開後，我感覺就像被扔到一個我從未駐足過的世界，一切都很陌生，即使是雇主的笑容，感覺也很奇怪。

隔天，我開始執行我唯一的工作：照顧那個擁有美麗眼睛的小嬰兒。

我一定要堅持走下去。我等待來臺灣工作的機會，已足足等了七個月。我的兩個女兒已很久沒繳學費了，而我的丈夫也花了太長的時間，去復原他因車禍所導致的腳傷。我離家許久，卻沒賺到什麼錢，所以這次我承諾自己，盡可能做到最好，不反抗也不抱怨。

妹妹——我照顧的小女孩——是一個特別的孩子。她的身體比同年齡的孩子小得多。除了閃閃發光的美麗眼睛，她的四肢幾乎不是「活著」的。她的手腳很瘦小，像是沒長骨頭一樣。除了哭聲和尖叫聲，她嘴裡就沒有發出其他聲音了。

照顧她的第一年，我本能的母性逐漸出現，我越來越愛她，剛到前兩個月內心的糾結已澈底消失。起初我非常害怕，而且有點不適應，但隨著時間推進，恐懼感也逐漸退去。

我總是小心翼翼的照顧妹妹。每天跟她說話，慢慢的練習移動她的手和腳。我不是個可以改變她身體缺陷的天使，但我一直很努力。我希望妹妹可以像其他孩子一樣，健健康康長大。

我時時刻刻都陪著妹妹，尤其是在她六歲時，太太生了個弟弟給她之後，先生和太太將妹妹的所有需求都託付於我。這不是因為他們不愛妹妹了，也不是因為他們有了第二個孩子，所以只想關注他，而是因為他們信任我，他們看到我跟妹妹兩人之間緊密的關係。

先生和太太都是孩子們的好父母，他們很關心孩子們的成長及發展。就像其他生活在都會區的人一樣，他們必須犧牲與孩子相處的時間，因為他們得努力工作，才得以養活孩子。早上六點他們就出門了，把兒子送到托兒所後，便前往桃園上班，傍晚五、六點才下班返家。

有時我看他們實在很可憐，回到家已滿身疲憊，還要打理家務、照顧兒子。我其實很想協助他們，減輕他們的負擔，比方說幫忙打掃房子，或在太太做晚飯時幫忙看小孩。但我也無能為力，因為不能放著妹妹不管。先生和太太也了解這一點，所以一次也沒麻煩過我。對他們來說，只要我把妹妹照顧好就足夠了。他們從沒給過我負擔，也不曾要求我做其他的工作。

但這不代表我完全沒幫忙他們，有時候我會在妹妹睡覺時盡可能協助他們做家務，有時候也邊照顧妹妹邊整理房子。

剛開始工作的時候，我從沒有休過假。太太偶爾會問我，星期日要不要休息？出去跟朋友見見面、散散心也好。只是我拒絕了，一想到我在外面玩得正開心時，妹妹哭著找我，那該怎麼辦呢？

「阿妮（Ani），難道你不想見見朋友嗎？不想去臺北逛逛嗎？」太太問道，「我們知道你很累，你來這兒已經快三年了，這三年一次假也沒放過。我們不想把你關在家裡，你有權出去走走。」

「沒關係的，太太，如果我出去了，您一個人在家會很辛苦的，再說我也放不下妹妹。請您放心，我很快就要回印尼了，到時在家休息就好。」我邊回答，邊擺好在我懷裡熟睡的妹妹的腳。「我根本不覺得我被關在這兒，太太，我在這兒工作，真的覺得開心。」

「我和先生希望你合約結束後，還可以回來這兒。」她邊說邊揉著我的肩膀。

我望著漆色已黯淡的天花板。去年農曆年，先生空不出時間為房子油漆。

頃刻間我的思緒開始飄行，飄過海洋，越過高聳的山脈，然後穿過我外南夢（Banyuwangi，印尼東爪哇省的一個郡縣）家裡的牆，我望見丈夫和兩個孩子圍坐在桌子旁，他們正看著一張漆彩斑駁的木製相框裡的照片，而照片裡的人是我。那是七年前，我剛結束縫紉課程的照片。照片裡的我，看起來如此幸福，那是我拍過最美的照片。

珊蒂（Santi），我的第一個孩子，今年將從初中畢業；而第二個孩子巴渝（Bayu），今年將升上六年級。我的丈夫還無法正常活動，即使已經不用靠枴杖走路了。我能體諒他，他也是為了這個家才變成那樣的。我丈夫是計程摩托車司機，為了接送客戶而發生車禍。車禍發生以來，家裡的經濟狀況從一開始普普通通，後來變得越來越拮据。我做家庭裁縫的收入無法養活一家四口，那時候在種種考量與家人的祝福下，我最後決定出國工作，到臺灣討生活。

「是的，太太，我願意再回來照顧妹妹。」我點頭答應。我從上個月就開始思考、準備答覆這個問題。我已認真考慮過了，我還有許多家庭義務尚未兌現，我仍然需要錢來養育孩子，也需要存錢來應付家用。雖然這代表我不得不與家人再分開三年，但我已和丈夫、孩子們討論過了，不管情願與否，他們將祝福我的決定。其實若能生活在一起，那該有多好？但我們也知道，人生並不如想像中簡單。

「謝謝你，阿妮，先生聽到這消息一定會很高興。」太太緊緊握住我的手，她亮潔的眼珠子外圍有一圈深黑的凹陷。我知道身邊這個女人很疲憊，但我也知道，她是位堅強的女性。我從她身上學到很多，例如如何面對生活、如何堅持、如何保持微笑，以及如何為家人「挺身而出」。而我從太太身上得到最為感恩的體會就是，如何去當一個，在任何情況下，都能夠給予丈夫、孩子及他人愛的妻子、母親與女人。

我在第一份合約結束的前一天回到印尼。先生和太太交代我回到印尼後，就直接去仲介公司辦理續約。我只能點頭說是，心裡卻惦念著孩子和丈夫，我其實想花更多的時間和他們在一起。

然而，在家這幾天，先生和太太不停的打電話給我，他們不是為了找我說話，而是因為妹妹一直鬧脾氣，說要找我，只有聽到我的聲音，她才願意安靜下來。我的心裡亂成一團，這和三年來我在臺灣工作的感覺一樣。同樣是想念，不同的是，在臺灣時，我想念的是我的丈夫、孩子；而現在我人在印尼的家中，想念的卻是妹妹的臉，以及她美麗的眼睛。

一個月後，我從印尼回到臺灣，妹妹整天都黏著我，不願從我腿上離開。我從她的呼吸聲，感受到她對我的思念，而我相信，妹妹也知道我一樣十分思念她，那層層疊在我肌膚上的思念。

那天起，我們變回一對戀人，她十分愛我，我也一樣愛她。不知何故，我對她的愛日漸濃烈，我不再當她是我的工作，我也不在乎她的膚色白嫩潔淨，而我的皮膚有如人蔘果（Sawo）。我只把這一切看作是愛，一種我無法向任何人解釋的愛，一種像我在家裡也擁有的愛，一種不需要其他人認可的愛。

踏入照顧妹妹第五年，這孩子開始展現變化，變得更加活潑。先生和太太對妹妹的進步感到非常欣慰，他們越發積極的去查有關她轉變的資料。

那一年開始，依太太的建議，我偶爾帶妹妹出門。我不只帶她去社區廣場上晒太陽，也帶著她與我的朋友們聚會，或是去印尼商店匯款給家人。

一開始照顧妹妹的無趣與恐慌，早已消失殆盡。現在和她在一起的每一天，都是幸福愉快的，有時我甚至會忘了我只是個保母。

當我的工作合約邁入第六年，我開始因猶豫而困擾，弟弟那時剛滿週歲，而我的女兒珊蒂將從高中畢業，我的夢想就是能夠掙錢供她拿到大學文憑。我最大的希望就是看到自己的孩子有所成就，讓家裡擺脫經濟重擔。如果可以，我也希望我的孩子能造福他人，這樣也許人們就不再需要為了養家而離鄉背井。因為我深刻體悟到，當一個海外移工有多麼辛苦。

然而另一方面，我也希望能陪伴在丈夫和孩子們身邊，替他們做飯，替他們洗衣服，生病時照顧他們，聽他們分享學校朋友的故事。我簡直進退兩難。

我那一整年都過得很辛苦。太太多次詢問我的決定，她對我抱持著很大的冀望。至於妹妹，她越來越心繫於我。每當那女孩抱住我、親吻我的臉時，我不再續約的決心就徹底粉碎了。然後她又透過雙眼說：「阿姨，永遠都不要離開我好嗎？我愛您！」

老天，誰不會因為她真誠的眼神而融化？誰又捨得讓那雙美麗的眼睛流出眼淚呢？

在我的第二份合約結束前四個月，發生了件大事，一件讓先生一家人淚流、又喜又悲的大事。

我記得很清楚，那天是八月三日，在我們吃完晚餐後，大家一如往常的聚在客廳裡看電視。通常會呻吟、尖叫的妹妹，那晚卻比較安靜。真是貼心的孩子啊！也許她知道，我為了減輕一些她媽媽的負擔，除了照顧好她之外，也會幫忙打掃房子。妹妹知道我累，所以她不吵不鬧。

我們看電視看得興致正高時，突然有一個小而微弱的聲音呼喚著我。

「阿姨……阿姨……」

我們三人立即轉頭，向妹妹那兒望去。小女孩微笑著，口中喃喃自語，或許正在呼喚我。

那應該是對先生、太太，還有對我而言，最快樂的一個夜晚。但事實上，妹妹的聲音，她第一次叫人的聲音，卻在太太的心口上留下一道深深的疤。

我低著頭，感到過意不去。我明白，當自己至親的孩子，從口中說出的第一句話叫的不是自己時，她會有多麼心碎呢？

先生也熱淚盈眶，但我不曉得他感受為何。那個戴著眼鏡的男人，起身把女兒擁入懷中，妹妹高興的叫了起來。她感受得到我們的喜悅，但她無法感受她的媽媽內心的疼痛。

我隨即跟上已走進房間的太太，離開仍然相擁的父女。

那個女人坐在床角，雙眼紅腫，好像是在向我訴說：女兒真正的母親受傷了。而我也感受得到她眼神所欲傳達的訊息。我能體會她傷口的痛，因為我也是個母親。

「太太，對不起。我從沒教過妹妹怎麼叫我，我總是教她如何叫你和先生。太太，請原諒我。」我拉著她的手，這個女人一動也不動，眼淚卻不停落下，讓我越發內疚。

「太太，我向你保證，明天或者是後天，妹妹一定能叫你一聲媽媽，叫先生爸爸的。」我盯著她悲傷的雙眼，那雙別有意味的眼睛，透露著她的所思所想：我算什麼母親？我的孩子說出口的第一句話不是「媽媽」，不是叫我，而是叫別人！

我們彼此沉默了五分鐘，我不知道該對她說什麼，直到她拉著我的手說：「阿妮，該道歉的人應該是我。」她緊握著我的手說道。她的手顫抖著。

「你沒有錯，完全沒錯。妹妹只是說她想說的。對，我是那個生下她的人，但你才是每分每秒陪在她身邊的人。我不應該破壞氣氛，我們應該在妹妹面前，表現出我們的開心，慶祝我們一直認為不可能發生的奇蹟才是。我應該感謝你，阿妮，因為有你，妹妹才能像現在這樣。我敢確定，醫生一定也會對她的進展感到驚訝。阿妮，真的謝謝你。」太太微笑著說完，嘴角揚起笑容，而她眼裡的傷也逐漸淡去。

「太太不生我的氣嗎？」我愚蠢的問道。她隨即抓住我的肩膀，緊緊抱著我，以示回應。

「謝謝你，阿妮，我求你繼續照顧妹妹吧！」太太在我耳邊低語。這句話一次又一次，在早晨、中午、夜晚，不斷的在我耳際浮現。也因為這句話，五個月後，我續了合約，再次回到臺灣。這是我在這個家的第三份合約。

我鬆開那美麗眼睛女孩的擁抱，為她把棉被蓋好。看著這個十歲女孩的臉，一張如此無邪的臉，一張充滿幸福的臉。說真的，我實在不想在這張臉添上悲傷色彩，就算只有一點也不想。

望著妹妹熟睡的臉，我的眼淚突然就掉了下來，而這次，我不需要再去假裝微笑。

再不到兩個月，我的合約即將結束，這也代表，我在這裡工作——看護妹妹——已經九年了。我很開心，我從不覺得自己是在這裡工作，反而更是種分享，或說是命運的安排。真主創造了一切，包括把我放進這個家裡。

我起身走近窗臺，在一旁站著。自昨天起就下個不停、讓空氣冷得刺骨的雨水，打在起霧的玻璃上，讓我望見珊蒂和巴渝的臉，他們要我回家，他們思念著我，思念著他們的母親！

我顫抖著。當珊蒂和巴渝的身影在窗外，不斷向我揮手的時候，我更是全身發顫。我怕他們失望，我怕他們因為我丟下他們不管而恨我，我怕有天會換成他們拋棄我，我也怕我在思念中迷失的時候，他們將從我身邊遠走。我到底是個怎樣的母親啊？

真主，我知道愛是需要犧牲的，但我從沒想過，犧牲會這麼大。

真主，我害怕製造新的傷口，珊蒂和巴渝承受了這些傷，我不想再傷害任何人了。

真主，我相信你會指引我最好的道路，我確信這一切都是由你安排的。

外面仍下著雨，而這個夜越來越漫長。今晚我得做出抉擇。最近這幾個星期，先生和太太幾乎每天都會問我，是否還能留下來繼續照顧妹妹。

由於我的合約快終止了，他們必須提前準備，是否要和我續簽合約，或者找新的看護。至於妹妹，她還不明白我能待在這兒，是基於一紙合約；她也還不明白，我家裡也有孩子。她只以為，現在我和她一起住在這個家裡，而未來也將如此。她並不知道，我們之間擁有愛，對彼此擁有歸屬感，但卻無法擁有永遠在一起的命運。

是的，今晚我必須下決定，一個艱難的決定，非常非常的困難。

但無論如何，我還是得做出抉擇，一個不再關乎我能換來多少金錢，而是關於愛的抉擇。

差不多有半個小時，我一直在禱告，請求祂的指引。妹妹的夢話呼喚著我的名字，把我喚醒，帶我回到現實世界，正等著我做出決定的世界，一個已安排好我的命運的世界：瑪麗阿妮（Maryani），四十歲，來自外南夢的海外移工，因經濟重擔來到臺灣，但隨著時間的前行，愛，牽絆著她，現在的她陷入兩難：一個是對於家鄉孩子的愛，另一個則是對妹妹——那個特別的小女孩——的愛。

珊蒂、巴渝，請原諒媽媽，你們要知道，對媽媽來說，妹妹和你們一樣重要，她就是你們兩個的妹妹。你們能理解嗎？目前媽媽還沒辦法放下妹妹不管，媽媽仍需要留在這裡照顧妹妹。媽媽答應你們，三年後妹妹可以照顧好自己，也明白在這個世界上沒有永恆的事物——包括她與媽媽的緣分——之後，媽媽答應你們，等妹妹能理解人生，媽媽就會回去了。你們要知道，媽媽無法忍受對你們的思念，媽媽真的思念你們！我的孩子們，這一切真的不容易啊！但是，請你們給媽媽一個機會，將真主旨意的道路走完，幫助妹妹學會面對現實的人生。

我替妹妹蓋好棉被後，旋即走出去，太太跟先生仍然坐在客廳裡。我和他們面對面坐著，這兩個已經和我一起生活九年、和我分享一切的人。我已做好決定了，不管我的決定為何，都不是因為他們兩個，而是因為「愛」。

——原載自《渡：在現實與想望中泅泳　第五屆移民工文學獎作品集》，四方文創，二〇一八

褚阿北的哲學蹲馬步

問題1：誰是「國際移工」？

說到「移工」這個詞，你想到的是誰？週末假日在臺北車站大廳包著頭巾的女性看護工，還是臺中東協廣場的男性工廠工人，他們來自於哪裡？越南？菲律賓？印尼？泰國？

你有沒有想過，臺灣人到外國工作，也是別人心目中的移工？

身為一個長年在海外投入NGO工作的臺灣人，我最近常常在思索這個跟自己有關的問題：臺灣既然有十分之一的人口在中國大陸工作，這兩百萬人算不算「移工」？如果是的話，在全球移工的分類上，到底算是哪一種類型？

我把這個問題，請教人類學出身，長期關注菲律賓移工問題的新聞工作者「阿潑」黃奕瀠，她說：「我曾看過一個說法，移工跟候鳥一樣漂泊，離開自己的土地，不斷往返，就是移工。從這點看，無論大陸人在臺灣工作、或是臺灣人在大陸工作，當然都是移工，沒有什麼差別。」

根據《經濟學人》週刊，國際移工基本上分成四類，這篇文章中的主角阿妮，就是屬於「從開發中國家到高度開發國家」的傳統型移工，這群人因為在家鄉的生活無以為繼，選擇到語言文化歧異，甚至沒辦法休假的異國工作。然而，在這篇文章最後，阿妮卻放棄和家人團聚，選擇繼續留下來照顧「妹妹」，你覺得她這個決定的背後原因，是否和一開始一樣，只是單純為了更好的經濟和生活條件？如果中間有了改變，又是為什麼？

問題2：「同理心」是互相的嗎？

二〇一一年五月初，臉書的創始人兼執行長祖克柏（Mark Zuckerberg）在臉書上發表的一則近況動態說：「我剛剛殺了一頭羊和一頭豬。」引來許多人的好奇、不解、反感等眾多回應。後來他接受《財星》雜誌電郵訪問時回覆，這是他給自己當年生日的挑戰：「要吃肉，就只吃自己親手屠宰的動物。」希望自己吃肉時不能忘記「有一頭動物為我而死」，並心懷感謝。於是他大部分時間吃素，吃肉則只吃自己親手宰殺的牲畜。

祖克柏還說，會有這個決定源於前一年在家烤乳豬時，很多朋友表示愛吃豬肉，但不願想像豬活著的樣子。他認為這樣「太不負責任」，因為人應該對自己吃的食物心存感謝。於是祖克柏決定親自向農牧業者學習屠宰動物，初次宰殺的是一隻龍蝦，之後還宰過雞、羊和豬。他表示自從親自宰殺自己要吃的動物後，他的飲食習慣變得健康許多，也對永續農業和畜牧有了更多了解。

但是光是基於對於動物被剝皮的痛覺的想像，就像討論魚是否有痛覺，這個問題顯然在中國爭論了好幾千年，在西方也爭論不休。有美國研究指出要有知覺才能夠感到痛，但魚沒有知覺。但是，英國的科學家對彩虹鱒魚進行研究，發現彩虹鱒魚在頭部等多個部分有被稱傷害神經元的傷害感受器（nociceptor），證明鱒魚、鱈魚等都擁有痛的感覺，魚不僅能夠感覺痛，而且還會對痛做出反應。

那麼螃蟹呢？二〇〇五年挪威食品安全科學委員會發表的報告認為龍蝦、螃蟹不太可能感到疼痛，其理由是牠們的神經系統過於簡單，看不出有大腦，沒有感知疼痛的功能。但是在同一年蘇格蘭一個動物權利機構發表的報告則宣稱龍蝦具有感知疼痛的能力。

那麼和龍蝦同樣屬於甲殼綱十足類的螃蟹呢？

所有的動物，不管多麼低等，都在遇到有害刺激時有避害反射，甚至連單細胞的原生生物也能試圖逃離，單細胞生物連神經都沒有，顯然不可能有痛覺。科學家說，疼痛是一種內在感受，必須要有神經系統作為基礎，但有神經系統的動物，也未必就能感受疼痛。因為動物無法告訴我們牠們的感受，當牠們受到傷害拚命掙扎時，我們其實無從知道那只是一種無意識的反射，還是同時伴隨著痛苦的感覺。

比較起這些系統的科學研究，只是從個人的角度簡單的「覺得」這事不應該，就要大家來支持，這邏輯的確過分簡化了。但是，心很柔軟的人，能夠有機會去深入思考，是成長過程美好的一部分，也希望每個人把這種「痛」的「同理心」延伸到對於萬事萬物的疼惜。

但是我們絕對不會認為，羊、豬、鱒魚、螃蟹等動物，也應該要學會感受人類被殺時的痛苦，那簡直是太荒謬了！

所以很明顯的，同理是一條單行道，只能決定「我同理你」，但是不能要求對方「你要同理我」。

但是生活中，很多人卻忘記這一點，所以在法庭上，被害人可能會對著酒後肇事的駕駛說：「你有沒有同理心？你有沒有想過，如果被撞死的人是你的家人呢？」這聽起來雖然很有道理，也是我們時常聽到的，但這就像要求螃蟹去感受人類被螃蟹的大鉗夾到時的痛苦，是不符合邏輯的說法。

「將心比心」是我們可以做，也應該做的，但是要求別人這麼做，卻不是理性的。請在這篇文章中，找出三個作者運用同理心，「即使對方無法理解我的感受，我也應該要同理對方」的例子。

第三章

學校和你想的不一樣

這一篇選文的目標——

・「問題化」的能力

・分辨本質的「異」與「同」

十

我是第一個到卡達念書的臺灣留學生

我是第一個到卡達念書的臺灣留學生

陳宥儒

我在臺灣念了一年大學以後決定休學，現在在美國西北大學卡達分校念新聞系。

卡達，對絕大多數臺灣人是一個很陌生的阿拉伯國家，其實和臺灣的關係非常密切，因為臺灣有一半以上的液化天然氣資源，來自中東的卡達。身為第一個拿臺灣護照到卡達讀大學的我，親身體驗了阿拉伯國家十分不一樣的伊斯蘭文化，也見識到波斯海灣國家因為石油和天然氣所造成的繁榮景象以及背後心酸。

最初想要申請出國留學的動機其實很簡單，我覺得臺灣的教育制度並不適合我——只追求分數，不看重課外活動、人品、個性、價值觀，或者是個人對社會上的貢獻，只要非常熟悉學測或是指考的考試模式、內容、題型，跟大量不斷的做模擬測驗，很多人都可以考上前段大學。這種教育制度，無法讓我更靠近我所追求的人生目標。從高一開始，我知道自己不太想要把全部心力都放在課業上，因為之前國中時期，基本上沒有做過什麼自己喜歡或是有興趣的事。但是我當時不了解的是：因為我讀的是當地強調升學率的私立高中，高一結束後，高二會依成績分班，學校會把所有教師和金錢資源放在前段班。很自然的，過了一年後，我被分配到了放牛班，班上真的沒有一個人想讀書，連老師上課都只是念過課本，輕鬆帶過每一章節。在高三畢業，準備要應屆讀大學那一年，我們班的每一個人都考得很慘。

當時我選擇依照應屆成績的分發就讀私立大學，但是讀完大一的我發現，自己在學校學的東西，網路上基本都查得到，再加上發現周圍同學的興趣通常不在讀書，於是我在大一下學期開始準備美國高三生申請大學的考試——Scholastic Assessment Test（SAT），申請完大學，還得申請獎學金，並且說服家人讓我選擇中輟、去國外讀書。

我提供父母一份詳細企劃書，裡面寫了五點分析到國外讀書的好處：

1. 國內升學制度非常單一，國外比較自由開放。
2. 熟悉東方和西方各種不同的教學體系，可以啟發自己的創造力。
3. 體驗不同的文化，擴大自己的眼界。
4. 某些學術領域國外比較專精。
5. 增廣自己的交友圈，和來自世界各地的學生交流。

同時，我也寫了對未來人生的規畫，還跟爸媽簽了一份借據，表示等我有經濟能力時，會歸還他們在大學期間幫我付的學費。

就這樣，我便前往卡達，成為當地的第一個臺灣學生了。

至於我為什麼會喜歡阿拉伯文化，選擇申請中東的學校呢？依稀記得在我八歲的時候，我爸爸跟我說了一個阿拉伯的故事——一千零一夜（كتاب ألف ليلة وليلة），那是我第一次接觸到阿拉伯的文化和習俗。但是，當我非常好奇的想要問更多有關阿拉伯世界的問題時，我的老師、親戚，甚至鄰居，都無法回答我阿拉伯世界是一個什麼樣的地方。他們的回應大多是：「那裡有很多恐怖分子，絕對不要去中東旅遊。」對於臺灣大多數人來說，阿拉伯半島就是一個神祕而危險的地方。然而，對於十八歲的我而言，如果不趁年輕時出去闖一闖，等我年紀更大時，很有可能隨著機會成本的增加（例如：有老婆和小孩要照顧，工作壓力無法讓我請太多天假、身體變虛弱等），更沒有勇氣獨自一人去中東，認識當地的人文風情。因此，在眾多考量之下，我打算趁大學時代來探索伊斯蘭文化。

至於是什麼因素讓我決定要學阿拉伯文呢？記得有一名知名的腦神經學家曾經說過：「當一個人在說另一種語言的時候，他的大腦在分析、處理資料，和解決問題時的方式，會跟在說母語時非常不一樣。」我高中畢業前，已經從學校學到了如何流利的說臺語、中文，以及英語。而在大學這一個階段，我覺得正是時候，讓我利用學校充沛的阿拉伯語教學資源，讓自己熟悉第四種語言。因此，我在西北大學卡達分校就讀的第一年，就申請了隔壁學校——喬治城大學的艾德蒙·A·華許外交學院（美國極富盛名的外交學院）的阿拉伯語基礎課程。經過兩個學期生活在阿拉伯國家以及學習阿拉伯語，我認知到阿拉伯文是很重要的語言，也是聯合國承認的六種官方語言之一，所以決定申請在暑假時去阿拉伯世界最好的大學貝魯特美國大學上阿拉伯語密集課程，經歷了我此生最棒的暑假。

大多數人都知道金錢因素占出國很重要的一部分。尤其是去美國讀大學，如果沒有獎學金的話，一年的生活費加學費逼近兩百萬新臺幣。我深深知道這次出國讀書是要從父母的退休帳戶借錢的，所以，在我做這個決定前便告訴自己，沒有申請到獎學金的話，就留在臺灣讀書。然而，在我分析出就讀美國西北大學卡達分校優點時，我暗暗心想，就是這一所學校了。第一學期開始，學校就會給學生一臺Canon單眼相機，以及一臺裝配各種軟體的十五吋1TB的MacBook pro。這些配備可以跟著學生四年，等畢業後再還給學校。除此之外，學校保證，每一位學生畢業後，可以領取跟美國西北大學本校一模一樣的畢業證書，因為所有取得畢業資格的必修課程跟制度，並無二致。

除此之外，更吸引我選擇這學校的原因是，美國西北大學本校的所有教學和獎學金資源，卡達分校的學生也全部享有。舉例來說，在第一年的暑假，我就很榮幸的獲得了五千美金的語言獎學金（本校跟卡達分校的學生都可以申請，但是一年總共只有十三個人會被錄取）去黎巴嫩讀阿拉伯文，並額外從立羅伯塔．巴菲特全球研究學院（華倫．巴菲特的妹妹，在二〇一五年，捐了一億美金給西北大學所建立的基金會）獲得一千五百美金的助學金來補助暑期生活費。而第二年的暑假，我又錄取了本校一個志工教育項目，從羅伯塔．巴菲特全球研究學院和西北大學卡達分校總共獲得一萬美金的獎學金前往越南，做為期八週的非盈利機構志工。所以基本上，在卡達讀書的國際學生真的可以為金錢少一點煩惱。

第三個吸引我的優點是，西北大學卡達分校實施「Need-blind application」，這代表學校在錄取大一新生時，並不會依照你是否需要過多的獎學金，來決定你能不能入學！要知道這對於國際學生可是一個重大福利，因為大部分的美國學校在申請過程都會詢問學生勾選是否需要獎學金，有很多優秀的學生卻因為要求太多的獎學金，但是學校給不出來，而出現沒有辦法就讀的情況。

優點說完了，再來說說讀這所學校的缺點。雖然學校標榜著一半卡達學生，一半國際學生，事實上，有百分之八十五以上的學生都是穆斯林，大部分有雙重國籍，有很多都是巴勒斯坦、敘利亞，或是黎巴嫩的富家子弟，在父母那一輩因戰亂逃到歐洲或是美洲國家，生下小孩，讓他們取得雙重國籍後，又舉家搬往卡達居住。所以實際上從國外來就讀我們學校的學生大概只有百分之十。這其實有好處也有壞處，好處就是當地人很早就已經混熟了，反之國際學生就比較容易混在一起，所以國際學生之間的感情變得非常好（所謂的國際學生，大部分都是巴基斯坦、印度、孟加拉、菲律賓等亞洲國家，大概每年只有八、九位學生是從美國或歐洲過來的）。壞處就是，這是一個非常小的社群，所以只要發生什麼八卦事件，過了一天，幾乎全校的人都知道了。除此之外，還有一個要考慮的重大因素：對於一個在亞洲土生土長的我而言，非常習慣有豬肉的餐點，但是，大多數的中東國家和臺灣有一個非常大的文化差異——沒有美味的豬肉可以吃！

褚阿北的哲學蹲馬步

問題1：你該選一條沒有人走的路嗎？

陳宥儒很勇敢，走一條沒有人走的路，成了第一位拿著臺灣護照到卡達念書的臺灣人。

但是你有沒有想過，一條路如果一直都在那兒，卻沒有人走，會不會是有原因的呢？做沒有人做的事，失敗了怎麼辦？萬一陳宥儒已經從臺灣的大學輟學，但是沒有申請到國外的學校，或是他的爸媽不願意借他學費，那麼這個很熱血的故事，是不是就會變得完全不一樣了呢？

我跟陳宥儒很像，我從臺灣大學政治系離開後，去了埃及開羅美國大學念新聞研究所，我也是學校第一個、唯一一個臺灣學生，但是我們這樣在一般人眼中與眾不同的決定，真的會比遵循大多數人走的道路更好嗎？

別忘了，無論多麼合理的事情，一定都可以從另一個角度找到問題點，這就是在邏輯思考訓練當中所謂的「問題化（problematization）」，所以請試著從這篇文章的敘述裡，分別找到五個支持、跟五個反對到波斯灣國家念大學的理由，你可能會有很驚訝的發現！

問題2：美國大學在波斯灣的分校，真的跟本校一樣嗎？

波斯灣國家為了不再依賴石油，紛紛爭取國外知名大學前往設立分校，比如阿拉伯聯合大公國的杜拜就有五十二所大學，紐約大學分校在阿布達比，卡達則有一座大學城，裡面最受注目的是六所著名的美國大學的分校，包括康乃爾大學的威爾醫學院、喬治城大學、卡內基梅隆大學、德州農工大學的工程學院和維吉尼亞聯邦大學藝術學院，還有美國西北大學。西北大學將它聞名全球的麥迪爾新聞學院在卡達分校設新聞傳播課程，來自臺灣的陳宥儒念的就是這個課程。

當然，就像在臺灣的私立大學，這些外國大學的波斯灣國家分校，也有招生失敗的，像加拿大滑鐵盧大學杜拜分校因學生太少關門大吉，英國赫瑞瓦特大學杜拜分校發生作弊醜聞，美國密西根州立大學杜拜分校則裁撤大學部，只剩下六間研究所。即使招生成功，因為這些外國大學設分校，一毛錢都不用出，全部由卡達政府買單，每年以基金會的名義給這六所大學超過三點二億美元，也被批評這些私立大學接受利誘，忽視波斯灣國家人權紀錄不佳、言論自由受限的事實。

比如卡達雖然說保障學術自由，學校不能在種族、宗教、國籍上有歧視，必須享有完全的言論和宗教自由，但是卡達是君主制國家，宗教跟文化都很保守，這與美國大學重視的獨立思考和言論自由，說沒有衝突是騙人的。

比如說陳宥儒念的西北大學新聞學院，如果他是在美國的校本部，言論自由就會受到「第一修正案」的保護，還可以根據「資訊公開」的法令向政府機構質詢，但在卡達，學生做專題採訪或拍攝都會受到限制，就算在醫院或電視臺外拍照，都會受到粗暴喝止，更別說做一些比較敏感的議題，像是來自菲律賓的移民工受到當地雇主虐待，或是政治滿意度調查，都是不能觸碰的禁忌，而且要採訪到關鍵人物，還要想辦法找到有力的「中間人（wasta）」關說。

陳宥儒說他畢業時，「可以領取跟美國西北大學本校一模一樣的畢業證書」，但是你認為這真的是一模一樣嗎？還是波斯灣國家的分校，其實跟在美國的校本部不一樣？你會這樣想的原因，又是什麼呢？

這一篇選文的目標——

- 人為什麼要上學？
- 什麼是「學習力」？

十

如果高中可以重來，我想念這所不用上課、沒有考試的學校

如果高中可以重來，我想念這所不用上課、沒有考試的學校

褚士瑩

一如往常，每年三月的第二個星期六，我們舉辦高中同學會，連當年的老師、教官也會參加，今年來了將近三十個人，對於畢業二十多年的中年男人來說，這一年一度的聚會，毋寧是珍貴而稀有的，尤其看到吃完飯後一群頭髮或許稀疏或許花白，身材或許發福的各行各業男人們，勾肩搭背、津津有味的合吃一盤宇治金時鬆餅的時候。

我們這群高中同學，從在校時感情就一直很好，班上同學的孩子，最大的今年要上大學了，小的則還在我們討論如何清算下市公司的時候，突然爆發出「姊姊揑我！」然後號啕大哭的階段，當然也有單身、「被單身」，或生孩子排除在人

生規畫以外的。

話題不知不覺就從如何哄孩子早睡，進入到什麼才是對孩子最好的教育制度。

在外商銀行打滾二十多年的同學，決定讓孩子上從幼稚園到高中一貫的學校，避免面對傳統臺灣學生十七歲之前，要過五關斬六將的升學壓力，高中畢業之後，再自己選擇國內的大學、出國，就算決定不升學也沒有關係。

移民澳洲後近年返回臺灣居住的，因為看了一篇文章說九歲以後轉換環境，英語可能就永遠無法和母語同樣流利，因此考慮再舉家搬回澳洲。

另一位科技業的高級主管，雖然讓孩子在傳統的臺灣教育制度中上學，但完全不在乎高二的孩子永遠在班上不是倒數第一就是第二名，因為他相信從小就想要當警察的孩子，有權利為自己的人生做決定。

最有趣的是，在座沒有任何一個高中同學，認為應該像當年的我們那樣，強迫子女接受好好念書，成績優異，考上一流大學的傳統價值觀。

我環顧著身邊在各自領域都極有成就的高中同班同學們，心裡充滿敬佩，這些都是好棒的臺灣父母啊！我真希望在我工作多年的緬甸，所有珍愛子女的家長們，有朝一日能夠擁有跟這些同學一樣如此多元的選擇跟價值。

有趣的是，我們當年高中坐在同一間教室，接受了一模一樣的教育，為什麼二十多年以後，卻為下一代做出跟當年完全不同的選擇？難道當年的我們，那麼不快樂嗎？我們對於當年接受的高中教育，如此後悔嗎？

我在一旁沒有說話，心裡想著，如果以我現在的眼界，所遭逢的人生種種，可以回頭重新選擇的話，我希望擁有一個什麼樣的高中生活？

我想，我會選擇去波士頓郊區，我曾在弗雷明翰（Framingham）鎮上的科技公司待了好幾年，那裡有間叫做薩德伯里山谷（The Sudbury Valley School）的自由學校。

我之所以知道這間一九六八年成立的學校，因為我在郵輪工作的時候，船上有一個中年小喇叭手麥特（Matt），我們因為同樣住波士頓，因此很快熟稔起來，我才知道原來他的正職是一個中學數學老師，當時跟老婆感情不睦，處於分居狀態各自冷靜，向校方申請留職停薪，決定航海一陣，當一個樂手，而他就是這間學校畢業的校友。

「好妙的人生啊！」當時我對這個喇叭手印象深刻。

一年之後，他和妻子破鏡重圓，搬回家中，重新經營家庭，也回到學校繼續教書，但是我們一直保持聯絡。

麥特的孩子後來也選擇了他的母校，進了這所半個世紀前由丹尼爾．格林柏格（Daniel Greenberg）成立的自由高中，幾個月前畢業，選擇升大學。

我之所以稱之為「自由學校」，因為這是一所完全沒有課程安排的學校。實際上，這所學校甚至沒有所謂的「上課」這件事。每一個學生都自己決定要如何利用自己在學校的時間。

想要找老師討論也可以，跟同學一起共學也可以（學生不分齡，統統混在一起），完全不跟老師同學打交道，只想自己一個人學習也完全沒問題。也就是說，在學校的時間，完全是自己的，學習也只對自己負責。

學校的決定全部採取民主投票制，每個學生跟每個教職員，在每個星期一次的「校務會議」上決定這個學校所有大大小小的事，包括學校預算，聘僱或解僱教職員，而且每個人都是平等的一票，沒有複雜的陷阱，一律採取簡單多數決。

目前世界上有將近五十所學校，從比利時到巴西，丹麥到以色列，日本到瑞士，法國到德國，都採用薩德伯里的模式，學校相信每一個孩子都可以像成人一樣為自己的行為負全責，孩子不用大人教，就可以擁有創意、想像力、警覺性、好奇心、體諒、尊重和判斷能力，只要提供一個不扼殺這些與生俱來能力的環境。自主學習本來就是最有效率、效果最持久，而且最優質的學習方式，孩子唯一需要的是「經驗」，所以大人在學校，只是提供孩子獲取這些重要體驗的開放式引導。也相信擁有完整的民主權利，是為一個孩子進入社會最好的準備。

如果一定要說薩德伯里學校背後有什麼哲學理念，那就是「學習是行為的副產品」，以及「學習是自發、自動的」這兩件事。所以學習本來就是一個主動的過程，而不是被安排的被動過程，老師是否在場提供指導，並沒有一定的需要。

在自由、信任、尊重、負責、民主的五個精神下，每一個學生從小就為自己的教育負起全責，而不是把責任推諉給老師、家長、教育當局、制度、社會。

這所沒有教室，只有聚會場地的學校裡，當然也沒有考試，沒有排名，沒有學測，沒有評量，也沒有成績單。

「那要申請大學怎麼辦？」

事實證明，這所學校畢業的學生——從四歲開始就用自己的方式，沒有老師教二十六個字母，卻都能教會自己聽讀說寫的孩子，申請常春藤名門大學無往不利——如果學生自己選擇要念大學的話。

所以請不要因為這樣，就又說要教改，一下芬蘭，現在又波士頓，那就完全背離我想要說的重點了。在薩德伯里的精神下，教改最大的問題就是把學習變成被動的，學習一旦失去了自由，再好的制度，不過就是製作精良的枷鎖。

如果你是家長，也請你不要心生嚮往，送孩子到這所學校，因為我一開始就說了，若高中可以重來，我「自己」會想要去這所學校，我並沒有說，我希望

「被」父母送到這所學校。

我那從會走路開始，就一心只想踢足球的乾兒子，這個學期開始，終於自己決定要離開臺灣的公立國中，開始完全自學的摸索生活，所以他才會有足夠的時間練球，睡覺。雖然周圍很多人擔心一旦變成「體制外」，就回不去了。申請自學方案的時候，因為我的名字被列為「師資」，教育當局審核的時候還要求另外證明，可能是覺得我的思想很危險吧！

但是老實說，我一點也不擔心，他在足球當中，當然會學習到人生所需要的一切知識，我沒有什麼可以「教」這個國中生，除非他主動告訴我他需要什麼樣的支持。

自從我的乾兒子自學開始，他只有找過我商量一次。他說，夏天的時候可不可以到泰國跟我住一陣子。我說只要他自己在另外一間離我家很近的房子獨立生活，當然想要住多久都可以。

幾個星期以後，我跟他的母親談話，才發現他的媽媽完全不知道兒子的這個計畫，以及我們這個約定，但是知道以後，她只是覺得兒子很有趣笑了起來，完全沒有擔心或是想要阻止的意思。

這一刻，我覺得我的乾兒子，雖然沒有去波士頓上我心目中的自由學校，但是他確實過著如果人生可以重來，我會選擇的學習方式。

因為到頭來，學習本來就是人類活動的「副產品」而已。

——**原載自《商周.com》，「追夢，和你想的不一樣」專欄，二〇一六**

褚阿北的哲學蹲馬步

問題1：人為什麼要上學？

在做一件事情之前，我們通常會思考為什麼要做這件事。比如說在決定去廚房找水喝之前，我們必須知道自己口渴。或是在面對緊急事件時，我知道如果選擇立刻報警的話，是因為這是一件我自己可能無法處理的事，或是警察的處理方式，會比我們自己試著處理更好，所以我們當然知道自己為什麼會這麼做。

我們不會認為不知道為什麼要報警的人卻報了警，是在做一件對的事情。但是為什麼當一個人不知道自己為什麼要上學，卻上了學，卻會被認為是在做一件對的事情呢？

一個人不知道為什麼要報警，卻連續報了十年、二十年的警，肯定所有人都覺得他很荒謬。

但是一個不知道為什麼要上學，卻連續上學二十年的人，卻有可能變成博士。難道這樣不荒謬嗎？

先知道自己為什麼要上學之後，再來決定要不要上學，不是比較合理嗎？

我的法國哲學老師奧斯卡．伯尼菲博士，不但是一個哲學諮商師，也是一個兒童哲學教育家，他就寫過一本給三歲以上的孩子讀的繪本，書名就叫做《我為什麼要上學？》，從思辨的角度，來跟孩子一起思考上學的好處與壞處，以及不上學的好處與壞處。一開始我不是很明白，為什麼要跟那麼小的孩子談上學這件事，因為在法國，上小學的義務七歲才開始，跟大多數國家相同。

但是後來我才明白，就像報警，首先要知道什麼是警察，還有報警的作用，遇到緊急事件時，報警有報警的好處，但是也有壞處；不報警的話，有不報警的好處，但是也有壞處，只有當我們充分明白了各種觀點，我們才能形成理性的決定，知道在看到車禍的情況下應該要立刻報警，而在家裡看到蟑螂的話，不應該報警。

上學也是這樣，我們如果從三歲就開始了解什麼是學校，還有上學的作用，到了七歲的時候，就可以為這個已經想了整整四年的問題，下一個決定，無論選擇自學，還是到學校去上學，想要學什麼，怎麼學，哪些東西需要到學校學，哪些根本不用學，而哪些又是應該要自己學的。這都應該是孩子自己的決定，而不是父母親、老師，或是教育當局片面的決定。

難怪法國是一個「盛產」哲學家的地方，因為他們從三歲就開始用哲學思考的方式，面對上學這個問題，但是在不注重思考教育，只注重知識教育的地方，卻很容易看到有人拿到博士學位以後，才發現自己一點都不喜歡念書，或不知道自己為什麼要念那麼多書。

所以，你知道自己為什麼要上學嗎？如果你從來沒認真想過，或許，現在就是思考的時候。

問題2：什麼是「學習力」？

我們常常會聽到人們說某個人的「學習力很強」，但是那是什麼意思呢？學習力很強，相當於「知識很豐富」嗎？

還是我們通常指的學習力強是這個人「學什麼都很快」？

為什麼有些人學什麼都很快，但是有些人學什麼都很慢呢？

有些人想學什麼都可以自己學會，但是有些人卻什麼都需要人家教？你會認為手機的使用方法，或是一個線上遊戲的玩法，一定要從一開始就有人教嗎？還是你總是自行摸索一下，就可以順利開始？

你是不是有見過一些老人家，認為手機的使用、遊戲的玩法，都要先有人教了以後，抄寫了很多讓自己頭昏腦脹的筆記，才能夠勉強開始，而且戰戰兢兢，總是怕自己犯錯？

如果你曾經有教會自己玩一款遊戲的經驗，你未來不管面對什麼新的遊戲，應該都可以順利複製這個經驗。

一個自己學會一種樂器的人，無論再去學什麼樂器，也應該很快就能學會。

所以一個在薩德伯里學校，教會自己聽讀說寫的人，無論再去學什麼外語，當然也都很快就能上手。

這樣的人，就被認為是「學習力很強」的人。

不只是人類，即使在電腦的世界裡，也有「知識很豐富」跟「學習力很強」的區分。比如說電子字典就是屬於「知識很豐富」，但是電子字典沒有辦法辨別任何資料庫裡面沒有內建的訊息。AI人工智慧卻是「學習力很強」，可以在任何新的狀況，根據過去的經驗跟儲存的知識，來做出正確的判斷。

換句話說，有沒有「思考」，就是有沒有「學習力」重要的指標。但是我們一直到目前為止在學校的學習經驗，注重的是知識，還是思考呢？

這樣看來，「學習力」究竟是「學習知識的能力」，還是「如何學習的能力」？

十 德國教育的力量

這一篇選文的目標——

- 區分「安靜」與「平靜」概念的差異
- 如果人生是跑步競賽，跑得越快越好嗎？

德國教育的力量

洪莉

德國非常重視普及全民教育，從小學到大學全部免費，教育經費皆由聯邦政府及各州政府承擔，使每個孩子都有機會接受完整的教育。家庭收入低的大學生，可以申請政府為大學生專門設立的無息貸款，作為其讀書期間的生活費用，等工作之後再償還。德國政府在教育經費方面的投入超過國防經費好幾倍，且教育經費的年增長速度超越經濟增長速度好幾倍。

在醫療發達的德國，也有殘疾孩子。我的一個德國朋友就有個智能障礙的兒子，但他們將兒子當正常孩子一樣撫養，讓他經常接觸外界，培養他的音樂愛好，使他像健康孩子一樣快樂成長。政府為患天生疾病和殘疾的兒童終生發放補助金，提供家庭資助、免費特殊學校教育，並且培養他們能力所及的工作技能。

在殘疾人就業方面，德國規定，公司企業招收殘疾人員工，將會得到稅務減免優惠，且企業不得以殘疾為由解僱員工。

我所住的小鎮有個公共園林綠化公司，公司員工大都是智障人士，他們負責街道旁和公共場所的綠化管理工作，比如除雜草，剪樹枝，維護園林。他們經過職業培訓，完全可以自食其力。

在一個高素質高福利的文明社會裡，每個人都能以自己喜歡的方式去生活，與他人無關。獨居或單身母親，同樣受到尊重，生活得有尊嚴有樂趣。父母離異的孩子也並不會孤僻和自卑，他們同樣心靈健康，快樂成長。

德國學前教育注重培養社會能力

德國的學前教育與中國理解並實行的學前班完全不同！中國大多數的學前班，是讓學齡前兒童接受小學生文化課教育，以上課方式學算術、語文、英語、古詩、書法等，實質就是提前了法定的小學生學習課堂知識的年齡。

而德國早期教育的範疇更著重於讓孩子們學習舉止禮儀、社會公德、交通常識、生活常識，以培養他們的自理能力、動手能力和閱讀習慣。而且，德國的學習方式，並不是填鴨式教育，而是在遊戲活動中自由進行。

德國幼稚園教育，還包括了解社會機構職能。例如，參觀警察局、消防局，學習如何報警，了解他們如何進行救助工作；參觀圖書館、政府辦公室，學習怎樣借書還書，了解在圖書館應該保持安靜，了解市長的職能。

在小學低年級，還設立了自行車課程，學校會請交通警察講解交通規則，由員警舉辦路考，發放自行車駕照，從小為他們植入持照駕駛、遵守交通規則的觀念。在德國這些都屬於早期教育範疇。

為能親自了解德國幼稚園早期教育情況，經過聯繫，我到居住地的幼稚園觀摩體驗了兩天。這所幼稚園有四十名二至五歲的兒童，分為兩個年齡混合組，每個組由兩位老師負責。通常小孩子會害怕陌生人，尤其是陌生的外國面孔，但我最初的擔心，很快就被孩子們驅散了。他們毫不膽怯，主動拉著才見面幾分鐘的我一起玩遊戲，玩拼圖或塗鴉遊戲時，甚至爬到我腿上，問我叫什麼名字？幾歲了？中國在哪裡？據老師介紹，幼稚園的四位老師不固定帶某個組，每週輪換，讓孩子們有機會與每位老師接觸交流，減少依賴性。孩子們和老師互相直呼名字，就像朋友一樣，沒有身分地位概念。

這裡的上課只能稱為「活動」，大大小小的孩子們及老師一起拉圈圈唱兒歌，一起玩遊戲。老師告訴我，幼稚園不可以用正規上課的形式教小孩子數數，而是要讓他們在遊戲玩耍中學習。小孩子愛模仿，兩、三歲的小娃娃和四、五歲的孩子一起玩，語言能力、行為能力會進步飛快，同時大孩子也要學會關照小孩子。這是混合班的一個優勢。

大小孩子也會分開活動。我看到幼稚園一週活動安排表中，有學齡前兒童搭公車去參觀牙醫診所，有學習急難救助，甚至有請牙醫來幼稚園講解乳牙護理知識。我體驗了一次孩子們「搭火車旅行」的活動。第一堂課，孩子們扮成旅客，搭著肩膀串成一列火車，嗚嗚的穿山越嶺去旅行。第二堂課，輕快的音樂響起，老師讓孩子們躺在體操墊子上安靜閉目，隨著老師繪聲繪色的講述火車穿過高山森林、原野農莊、河流湖泊，孩子們進行大腦的自由想像。老師不時在一旁提示：看見草地上的野花了嗎？看見森林裡的小房子了嗎？小河裡有沒有魚？旁邊還有兩位自願協助課程的家長，幫忙記錄著每個孩子的表現。

後來老師告訴我，這是針對四至五歲兒童進行的**思維想像課，以遊戲的方式引導孩子們安靜思考、豐富聯想**。每次必須記錄孩子能否安靜下來進入想像、語言描述如何等。每個孩子的紀錄還要交給家長，以便家長熟知自己孩子的身心發育情況並配合家庭教育。這些課程是按照「全德國兒童聯盟」專為加強四至五歲兒童個性發展，而制定的系列教育方案進行的。

「全德國兒童聯盟」，是個專門為零至六歲幼兒建立，跨學科的全國性非營利性民間協會，聯盟設計推出幼稚園教育方案，通過九個模組的不同遊戲方式，培養四至五歲學齡前兒童，在生活中不可缺失的個人基本能力：自我與外界感知；

理解、同情別人；自我情緒調節和適應；解決衝突與和解；建立朋友關係；培養自尊。這些才是德國學前教育的重要內容和目標，也是這個年齡段的兒童應該開始學習的。

德國幼稚園不上國、英、數、史、地等，關注的是孩子的想像力、動手能力和生活常識，而且注重戶外運動。幼稚園教室裡都有櫥櫃，上面放有瓶裝礦泉水和杯子，孩子們想喝水隨時自己倒，杯子自己洗，太小的孩子則由大孩子幫忙洗。放學前，孩子們會自動自發的將玩具收拾好，將水杯擺進櫥櫃。

反觀亞洲的早期教育大多急功近利，以孩子會背乘法口訣表，會背唐詩三百首、英語單詞而沾沾自喜，恰恰忽視了讓孩子終身受益的個人修養和基本能力的培養。令人欣喜的是，這種違背兒童發育規律的教育弊端，已經引起了社會各界的重視，符合兒童心理健康發育的學習方式，正在被教育界及家長們關注和探索。

勤動手與拓展興趣的小學生活

德國小學四年制半天課，一、二年級沒有成績單，只有老師鑒定書，記錄著孩子們的性格特點、行為舉止、合作能力、交際能力。小學教育特別注重動手能力的培養，老師經常在課堂上帶領小學生們，為朋友為父母製作生日卡、節日禮物。母親節那天，很多小孩子會早早爬起來，親自為媽媽準備一頓豐盛的早餐，端到媽媽床前，讓媽媽感動不已。德國孩子們有自己的儲蓄罐，裡面的零用錢是他們做家事、替父母擦車、為鄰居花園剪草等勞動賺來的。

德國小學教學還包括集體郊遊、野外宿營、大自然探險、足球競賽等，經歷了好動童年期所嚮往的各種戶外野趣，他們鍛鍊得更加獨立、堅強。而體育課是身體發育時期的小學生很重要的課程。除了書包之外，學生還必須備有體育包，整理運動服和運動鞋是孩子自己的責任，家長不會幫忙。孩子們還會根據自己的愛好，加入當地各種民間體育協會，這些體育愛好往往會陪伴他們一輩子。體育訓練不但增強了他們的體能，使他們健康結實、挺拔靈活，也讓他們學會了協同合作的團隊精神。

孩子們從小就以自己的興趣參與社會活動。在小鎮秋收節[1]上，我注意到一個最年輕的「手藝師」，一個小女孩正安靜的為人畫臉譜，她不時審視著作品，調色動筆，直至滿意，周圍的喧鬧和人來人往，對她沒有任何影響，那全神貫注的神態，讓人認定她是在從事藝術創作，而不是在玩。

好友曾對我說過老師對她兒子艾米爾獨特教育的故事。艾米爾十歲時，和同學打過架，老師的處理方式讓她感到新奇。老師沒有進行批評教育，也沒講要團結友愛的大道理，只是對他們說：「你們之所以打架，一定是相互缺少了解，才誤解了對方。這樣吧，給你們一個家庭作業，回去一起做個大蛋糕，然後帶來給同學吃。」

為了完成這個作業，兩個孩子開始一起商量，他們首先查閱蛋糕食譜書，

1 秋收節因地區而異。每年九月底的海德堡之秋是傳統節日之一，包括跳蚤市場、手工藝市集、中古世紀音樂表演等節目。

選定做什麼蛋糕，然後分頭準備材料，最後兩人約好時間，在同學家廚房裡，按照食譜步驟一起動手互相合作，最終烤製出了香噴噴的蛋糕。他們親手烤製的蛋糕，獲得了同學老師的誇獎和感謝，兩人從此也成為了非常要好的朋友。好友還說，當她和德國老公發生爭吵時，艾米爾既不害怕也不躲避，而是鎮靜的說，媽媽你不要那麼大聲，你們只是缺乏溝通、互相誤解，你們好好談談吧！兒子的成熟理性，常常讓她領悟到正確教育的力量。

注重實踐與創造力的中學時代

度過了四年輕鬆快樂的小學時光，孩子們已積累了一定的體能和眼界，進入中學之後，開始在課程的廣度和深度上逐漸加速。

在每週一次的工藝課上，他們學會製作較複雜的杯子、陶盆及各種造型的藝術品。**語文課不是像中式教育那樣在老師的指點下，劃分段落大意、抓重點，而是以大量閱讀、深刻理解、培養獨立見解為重心。**高年級開始學習微積分等高等數理化課程，上很多的實驗課，並鼓勵積極發言，勇於表達見解。中學生還必須學會做項目管理，完成兩週的社會實習、團體出國旅遊和做義工等。他們賺零用錢的方式也更加多樣化，比如當低年級學生的家教，照看鄰家小孩。

德國中學沒有一試定生死的全國統一考試，中學最後兩年的各科平時成績和最終選擇方向的四科畢業考成績的累積平均，就是高中畢業成績，高中畢業即可上大學。他們在考試訓練、應試能力、奧林匹克數學比賽成績等方面，普遍不如中國學生，但他們的獨立思考能力、社會能力、創造力，以及知識的深度廣度、心理成熟等綜合素質，遠在中國學生之上。這不是孩子個體的差別，而是兩種不同教育方式的必然結果。

德國教育還有兩點特別之處：一是**從小學到大學，沒有班長、沒有班級幹部，每個班級只有一個學生代言人**，職責是將同學的意見向老師或校方提交。學生代言人由學生選舉產生，沒有老師或校方參與。

二是**從小學到大學，考試成績屬於個人隱私，老師不得公開、不許排名**，更不能以考試成績將學生分出優劣等級。**保護學生的自尊心和心理健康，是德國教育的重要責任。**在這樣充滿正能量的生長環境中，會讓他們養成互相尊重、不比較、不巴結、不嫉妒、不歧視、真實坦誠的個人特質。

——原載自《德國骨子裡的氣質》，任性出版，二〇一八

褚阿北的哲學蹲馬步

問題1：「安靜」跟「平靜」有什麼不一樣？

德國在孩子四、五歲時，就用遊戲的方式引導他們安靜思考，要他們在教室裡模擬搭火車去旅行，並且針對每個孩子能否安靜下來進入想像、語言描述的能力進行記錄。然而這裡的「安靜」，卻和臺灣學生從小在課堂上被要求的「安靜」有本質上的不同。

德國教育裡的「安靜」，指的是一種「平靜安適」的狀態，在中文裡沒有一個專門的詞彙來表達，但在德語中，是一個非常重要的字，叫做gemütlichkeit。

「平靜」和「安靜」表面上有很多近似的地方，然而，平靜是舒適和放鬆的，但斥喝下帶來的安靜，卻是緊張甚至充滿恐懼的。只有「平靜」的氛圍適合思考，充滿壓力的「安靜」卻完全不利思考。追求「平靜」，需要從小循序漸進的引導和訓練，但要求「安靜」，卻只要一聲令下，就能達到。

我們舉辦哲學夏令營時，為了鼓勵孩子思考，會營造一個他們覺得「自在」的狀態，並不會刻意要求他們安靜、守秩序，這樣的調適過程，對於在高壓教育下長大，對「恐懼的安靜」習以為常的大人，似乎比孩子有更多的焦慮與痛苦，甚至曾經有兩個在傳統學校任教的助教老師，覺得孩子「上課不安靜」，又不允許「管秩序」，每天痛苦到以淚洗面的地步。

如果用高壓的方式管教，學生確實就會立刻回到安靜、服從的狀態，但是學生總有長大、離開學校，沒有人管的一天，那時候他知道在混亂的現實世界裡，該如何管理自己的行為，收攝自己如野猿般的內心嗎？與其延遲孩子的成長，一輩子當永遠長不大的大人，為什麼不讓他們從小就學習自我探索、自我管理？

你是否也曾有過在課堂上被要求安靜的經驗？回想看看，那與德國教育裡的「安靜思考」的狀態有何不同？

問題2：如果人生是跑步競賽，跑得越快越好嗎？

我們在臺灣常聽到廣告詞對家長說：「不要讓孩子輸在起跑點上。」但是這句話是真的嗎？

德國的教育專家似乎不這麼認為。

德國學前教育將重點放在非學科的基本能力，甚至德國漢堡小學的學前班不是為一般兒童設立，而是專門為一些身心發展較遲緩，而家庭又無法給予合適教育的學齡前兒童設置的，以便他們進入小學後，能夠順利適應上課環境，與人和諧相處。至於一般孩子的早期教育，則像作者說的，著重於讓孩子們學習舉止禮儀，學習社會公德、交通常識、生活常識，以培養他們的自理能力、動手能力和閱讀習慣。

當亞洲的學前教育，提前了法定的小學生學習課堂知識的年齡，在學英語、算術，或是背誦唐詩三百首、《弟子規》等填鴨知識教育的時候，德國的學前班跟小學低年級，學習的重點是「團體生活是什麼」，以及認識「社會是如何運作的」。

在德國強調「如森林中的秩序」般的教養原則下，每個人就像講究勻速馬拉松的跑者，這種以「勻速」狀態下調節自己的跑步速度，往往才能發揮自己的實力；而靠著教育「知識」而贏在起跑點的，卻可能因為不知道如何「思考」人生的方向，跑著跑著就躊躇的慢下腳步，不敢全力以赴，東張西望，開始懷疑自己是不是走錯了路，甚至不知道自己為什麼要一直奮力往前跑。

能夠在馬拉松賽站上伸展臺的優勝者，往往不是那些一馬當先、贏在起跑點、眼睛被蒙住的人，而是知道自己跟著成千上萬人一起跑步時，如何在團體的動態當中找到秩序，同時得到競爭與支持，而能夠表現得比自己孤單時更好的人。

在動態中找到和諧的能力，只要願意學習、內化這樣的氣質，你我也都能夠在人生的馬拉松賽上，成為一個更好的市民跑者。

十 那堂嚇壞我的芬蘭高中課

這一篇選文的目標——

- 檢視哲學中「自主性（autonomy）」的概念
- 練習邏輯中的「歸納（synthesis）」能力：尋找「旅行」與「上學」兩個表面上互斥的概念之間的「共通性（commonality）」

那堂嚇壞我的芬蘭高中課

賓靜蓀

就讀政大土耳其語系的大一男生陳聖元，曾經在高一讀完休學一年，去芬蘭做交換學生。他把在芬蘭課堂與生活感受到的大不同寫成書《GO！來去芬蘭上課》。他以「吊車尾」考上第一志願新竹高中、完成當國小老師的媽媽的心願後，開始懷疑人生為何一直為考試而重複？他想看看其他國家的高中生如何生活。很幸運的，他在北歐芬蘭小鎮找到答案。在芬蘭的課堂，他第一次體驗到學習不是只有一種樣子，見識到沒有補習、沒有排名的芬蘭學生，「為自己」而非「為考試」讀書的學習理想國，以下是筆者採訪陳聖元的紀錄。

我家住鄉下，媽媽是小學老師，從小就盯我念書，又去學鋼琴、小提琴，練得滿痛苦的。國中是一個年級有十八班的大校，媽媽又要我去考資優班，我很反感但不敢反抗，結果又被我考上。那是一個英語實驗班，週三下午不能參加社團，有外籍老師來上英語會話。我那時沒有認真念書，常喜歡跟同學打球，看著班上第一、二名的同學整天抱著參考書在K，覺得沒必要。我數學很爛，段考成績都倒數，國二下開始有危機感，後來吊車尾考上第一志願，當下很開心，但不知是為自己，還是因為達成媽媽的心願？

為何只有第一志願才被看得起？

那時我心裡已經醞釀了一種想法：為何在臺灣只有第一志願的學校才被看得起？高一考進去當然有光環，但每個人都很優秀，所以開始想自己的定位。高一成績也中後段，我想自己既然不是最會讀書那塊料，無法拚念書，那就要找出自己有興趣的東西。

我知道自己要念文組，也去參加吉他社。才高一下，同學就開始有危機意識，準備考大學。不是才剛考上嗎？怎麼升學壓力又來了？每個人都在拚，但我知道有同學讀得很痛苦，家人給他的壓力很大。我開始不滿意，為何人生要一直重複這種「拚命考試」的模式？其他國家的高中生也是這樣嗎？

我想休息一下，出去看看別人的樣子。爸爸很支持，讓我去從小夢想的「聖誕老公公的國家」芬蘭做交換學生一年。我的寄宿家庭所在的那個小鎮，人口僅兩萬多，只有我一個外國學生。我在臺灣學了兩個星期的芬蘭文就去了，但我不擔心語言，只擔心氣候和能否融入當地生活。

剛上他們的高中當然語言都不通，但我被他們完全不同的上課方式嚇到了。拿我最喜歡的英文為例，在臺灣，就是打開課本念熟單字（有時都是一些很難的字）、再念課文（都是一些莫名其妙的人寫的名著），老師解釋文法、意思，我以為英文課就是這樣。但在芬蘭，英文課很強調實用性。課本好像一本雜誌，不會要你去背每個單字，老師挑主題討論，例如旅遊的核心概念、各國風情等，放的

ＣＤ有法國口音、英國口音，很國際化，讓你去適應不同口音和情境，用以激發同學討論。然後有分組討論，每個人發表自己的旅遊經驗。當我帶著臺灣那種應付考試、被動坐著的心態去上課時，簡直嚇壞了，我很緊張，因為隨時都有機會去發表你的意見。

「活用」、「學習」的教育令人嚮往

上音樂課更是震撼。臺灣的中小學都要學直笛，到高中不知為何要學陶笛。為了應付考試，大家都是考前十分鐘練一下，然後四十幾個人每人吹三分鐘給老師聽，其他人就呆坐等著。音樂課老師上課講音樂家的故事，還要背下來，會考樂理。音樂課和歷史課，甚至所有課程都一樣，學生都是被動的坐在那裡，等老師的指示和餵養。但芬蘭的音樂教室裡，擺滿不同樂器，同學們自己選樂器、自己討論要練哪些曲目，然後老師指導，自己練習，學期末有表演。那位老師還是當地樂團的樂手。

芬蘭的地理課也很吸引人，不會叫學生反覆的背地圖、算時差、求坡度這類較「深層」的技術，只是純粹讓學生認識環境，了解各國的風土民情，體會世界各地發生的災害並學習應變。段考都是以申論題的形式進行或寫一篇報告，要能根據資料圖表做分析，充分發揮自己的想法，才能拿到分數。

一年後我回臺灣重讀高二（因為國外的學習不被承認），我想法上變得很叛逆、很有意見，課業上也又回到應付考試的心態。但我很矛盾，因為內心知道學習不該是這樣，我知道我學不到東西，但還是強迫自己去適應。我真心希望，臺灣教育能夠結合芬蘭這種以「活用」、「學習」為出發點的方式。雖然理想和現實不可能完全吻合，但芬蘭的經驗至少讓我知道，在北半球頂端的一個角落，有一群人是這樣生活的。

——原載自《親子天下》第三十三期，二〇一二年四月

褚阿北的哲學蹲馬步

問題1：接受「接枝法」教育的風險？

臺灣青年陳聖元高中時曾經休學到芬蘭小鎮曼查拉（Mantsalan）一年當交換學生，過兩年高中畢業以後，又回去舊地重訪，這其中，我最有興趣的觀察點是：「父母應該在子女的旅行中扮演什麼角色？」

如果用作物來形容的話，我會說陳聖元去芬蘭兩次的第一次是「接枝」，第二次才是「成長」。

我之所以說是「接枝」，而不是撒種子、發芽，是因為陳聖元第一次前往芬蘭，並非自己做的決定，從去哪一個國家、辦理申請交換學生、選擇寄宿家庭，一直到前往當地，期間的生活旅費，統統都是父母的悉心安排。

鋸掉原本的樹幹，嫁接另外一棵樹木的接枝法，其實是侵入性而且冒險的。臺灣諺語說「打斷筋骨顛倒勇」就是這個邏輯。照料果樹的農人，用自己覺得好的方式來決定一個生命的未來；而亞洲的家長，通常用面對果樹的方式來面對子女的生命。「接枝法」的好處是長得快，家長用他們過去的經驗幫孩子過濾，讓下一代省下了許多冤枉路，但是也有一些危險。

一個危險是：父母為子女好，子女一定要接受嗎？

另一個危險是：父母覺得好，真的就對子女好嗎？

請試著從這個角度思考，陳聖元在父母安排下，第一次前往芬蘭的風險？以及如果他選擇留在臺灣，沒有在芬蘭那一年高中生經驗，往後在學習路上會有什麼不同？是好還是不好？為什麼？

問題2：旅行和上學有什麼共通點？

當陳聖元在芬蘭居住一段時間後，判斷認為芬蘭是一個比較好的生活方式，卻得回到臺灣的高中，回到原本的軌道，學習忍耐、適應，過去那一年的經驗讓他好奇：為什麼他身邊的臺灣人，都覺得不可以自由去做想做的事，然而在芬蘭，跟他同樣年齡的年輕人，卻都勇敢選擇自己的未來？

於是他帶著自己的期許，自己的問題，重新踏上那塊他曾經花了一年生活的芬蘭土地，再訪闊別兩年的朋友，用自已的眼光再度認識芬蘭，然後，他得到一個結論：「芬蘭人選擇工作和目標的判斷標準，是活得快不快樂，能不能享受當下生活，所以學習的目的是為了累積各方面的興趣與能力，幫助自己找到不同的想法和自己該做的事。」

最後陳聖元帶著這個結論回到臺灣，進入政治大學就讀跟芬蘭一點關係都沒有的土耳其語系。不論這個決定是否正確，但就如同他在大二時接受記者採訪時強調：「去芬蘭只是一個方式」，透過這個方式他找到不同的想法和自己該做的事。雖然不一定每個人都有機會出國或出書，但是每個人卻都可以在自己的生活裡，找到熱情和目標，並用各種方式去做自己想做的事情。

你有想做的事情嗎？旅行和念書，何者更能幫助你達成目標？試著從陳聖元的故事中，舉出三個旅行和上學之間的共通點。

十 我為什麼去法國上哲學課？

這一篇選文的目標——
・觀察
・深化

我為什麼去法國上哲學課？

褚士瑩

我的工作卡住了！

自從出社會以來，我沒有放過「暑假」。但那個夏天，我決定放下一切，到法國葡萄酒的產區勃艮第鄉間，去奧斯卡那兒接受哲學訓練。

原因是什麼？簡單的說，我的工作遇到了嚴重的瓶頸，甚至到了如果不停下來去學習哲學，就沒有辦法繼續工作下去的嚴重地步。

作為一個NGO工作者，我這幾年的工作重點除了持續為緬甸邊境難民營的國內難民（IDP）培訓農業和手工課程之外，還有另外一個重點，就是在緬甸北方克欽邦（Kachin State）的內戰衝突地區對武裝部隊培力，我們的重點是訓練和平談判，還有停戰協議的能力，但是我發現自己在所謂的「和平工作」上，遇到了前所未有的挫折。

雖然我有很多的技巧，可以聚集很多的資源，教導武裝部隊在談判桌上應該如何運籌帷幄，但是我沒有辦法阻止每一次盡了所有的努力推動停戰協議的簽訂後，過沒幾個月，就又會有新的事端被挑起，於是停戰協議視同無效，一切又得要從頭來過，每一次都元氣大傷。我們時常使用的比喻，就是像反覆不斷的人工流產，對於一個女性身體跟心理的殘害。

要挑起戰爭是容易的，只需要幾顆子彈，或是一把火就行了，但是要停止爭鬥，並且維持下去，卻是困難的。

慢慢的，我甚至開始懷疑，戰鬥的雙方都沒有真心想要戰爭結束的意思。

更糟的是，無論我有多少面對衝突解決的技術性知識，卻沒有辦法回答從小在戰爭中長大的少數民族游擊隊士兵的一個問題：

「和平為什麼一定比較好呢？」

我從來沒有想過，對於一個從來不知道「和平」是什麼的人來說，戰爭跟衝突才是他熟悉的生活方式，在這中間，他得到他需要的滿足感、權力，同時也是一份能夠養家活口的工作。但是一旦選擇和平，就是踏出「舒適圈」，我要怎麼解釋「和平」真的比「戰爭」好呢？這就好像要解釋黃色跟紅色的區別，讓一個出生就看不見的盲人理解，我真的確實知道嗎？

那一刻，我知道自己的能力不足，我需要幫助。而這個幫助，不是更多的人力、更多的和平基金，也不是舉辦更多的工作坊可以解決的。我向一位專長做衝突解決的丹麥好友討教，他告訴我衝突解決的根本，不是技術上、也不是資源上的問題。

「那是什麼呢？」

「是哲學。」他肯定的告訴我。

聽到這個答案，我很吃驚。心底深處，我知道他是對的。但問題是，一個從來沒有學過哲學，大學通識課程的哲學概論勉強低分及格的我，要從哪裡開始？

從閱讀兒童哲學繪本開始

雖然高中時代買了卡繆，但是從沒認真讀完；看了所有克里希那穆提的作品，只覺得詼諧；甚至有一段時間相信《查拉圖斯特拉如是說》是我全宇宙最愛的一本書。大學時代，勉強自己跟著學姐去哲學系旁聽後現代主義。可是哲學對我來說，就是一門跟現實完全脫節的純學術。

正因為我什麼都不懂，於是我只好偷偷從閱讀兒童哲學繪本作為起點，開始我對哲學追尋的第一步。

而我當時唯一能夠找到的中文兒童哲學繪本，是一個我從來沒有聽過的法國哲學家寫的，那個哲學家就叫做奧斯卡。

一面翻著這些給七歲法國孩子讀的繪本，這些書跟我過去讀過的書都不一樣，因為所有的文字，幾乎都是問句，沒有答案。我一面覺得對於自己的匱乏，感到非常慚愧，因為對於孩子來說能夠容易大膽進入的題目，像是「人生，是什麼呢？」，對成年的我來說，卻覺得萬分困難。當我到達當地的小火車站時，看到一起下火車的人們熟稔的彼此擁抱問好，似乎只有我是全然的陌生人，聽說他們大多都是來自歐洲各地的大學哲學教授，這讓我這個門外漢覺得相當不自然。

當奧斯卡看到我時，他有一點詫異，或許是因為我真的出現了，於是他順口問我準備好了沒有。

「我什麼都不懂。」我誠實的回答。

「『空』？那好極了。」奧斯卡又聳聳肩，「你已經準備好了。」

我有些訝異，他對我用了「空」這個佛教用語，難道因為我是亞洲人嗎？

後來我才慢慢知道，奧斯卡非常喜歡禪宗跟道家的哲學思想，也常常拿來跟古希臘哲學比較。

在古希臘時代，「哲學家」跟「詭辯家」（sophists）都是社會上擁有最多知識的人，接受的教育也是一樣的，但是他們在態度上有著根本的區別。哲學家永遠「想要知道」（wish to know），但詭辯家永遠「已經知道」（already in possession of this knowledge），因此前者永遠想要更進一步探究深入，但後者對於已經知道的事情認為沒有必要再進一步思考。

或許奧斯卡看到那種我強烈「想要知道」的心，而不是拿出知識分子的驕傲，一副好像我「已經知道」的樣子，讓他覺得我已經準備好了。

「來吧！」我放下背包，跟其他四個陌生人一起跳進志願幫忙開車的比利時學生的老爺車裡，擁擠得不得了。「我準備好了。」

或許這是一個漫長的旅程，但是我知道，如果要回到緬甸北方，面對那一場永遠不會結束的戰爭，這是我必須要做的事。

——原載自《我為什麼去法國上哲學課》，大田出版，二〇一七

褚阿北的哲學蹲馬步

問題1：這個問題是什麼時候開始的？

雖然我說，我在工作遇到瓶頸時，才發現自己需要從頭開始去學習「思考」。但是「不會思考」這個問題，真的是在工作當中發生的，還是問題早就已經存在，只是我沒有覺知而已？仔細想來，這個問題應該早就存在，只是我欠缺「觀察」的能力，所以等到意識到問題時，已經很嚴重了。你也有這個經驗嗎？

我的法國哲學老師奧斯卡提醒學生：「請成為自己的昆蟲學家，以及被研究的昆蟲。」他的意思是：學習哲學思考的人，要把自己當成一個昆蟲學家，同時把自己當成昆蟲學家觀察的對象，然後研究自己這隻昆蟲的習性與行為。

比如說，如果每一個因為暴飲暴食而發胖的女人，都可以觀察自己「每當我沮喪的時候，就會暴飲暴食」這個習性，或許就不會那麼容易發胖了。

也就是說，讓自己暫時「出竅」，站在自己的對面，客觀的檢視自己的處境，而不是用一廂情願的想法來看待現實。NGO工作者如果是一個好的昆蟲學家，就應該要當自己研究的昆蟲，有能力站在局外人的角度，去看清楚自己的「地盤」，到底正在發生什麼事。

你可以透過「觀察」，看到一個在自己身上早就存在，只是還沒有「爆發」的問題嗎？請舉出三個觀察，證明這個還沒有浮出檯面的問題，其實已經存在的證據。

問題2：「會考試」的人比較幸運，還是比較不幸？

我透過觀察，回頭看到自己從小就不擅長思考的證據之一是：我從小就不愛念書，但是很會考試。乍看之下，可能會讓很多喜歡學習，但不擅於考試的學生火冒三丈，然而事實就是這麼回事啊！

雖然教育當局一直在尋求努力的方法，不可否認的，現在的臺灣確實是一個「會考試」比「愛學習」更重要的教育環境，因為考試的成績，仍然決定大部分的在校成績以及升學，所以很會考試的人，即使不愛念書，似乎也可以在這個環境中順利的成為「人生勝利組」。

我就是其中這一個。

因為從小不愛讀書，上課也總在偷偷看課外書，所以總是考試前一天，才著急的拜託同學借我看他的上課筆記，認真研讀、背誦之後，隔天應考，老實說只要能夠勉強及格，我就心滿意足了。不知道為什麼，往往考試結果會有很好的成績，甚至比借我筆記的認真同學考得還要好，讓同學非常生氣，久而久之，班上就沒有人要借我筆記了。（笑）

我之所以很會考試，有一部分，來自於我很會揣測出題老師的想法，還有閱卷老師的習慣。

「這個選擇題，正確答案一定不會是最明顯的那個，有陷阱！」

「老師要改那麼多考卷，一定不可能認真一題一題讀申論題，只要寫得又多又長，把我確實知道的那一點點，寫在最前面跟最後面，中間就當作寫小說吧！」

我之所以會這樣想，跟從小上寫作班很有關係。我所知道的「作文課」，就是教寫作的技巧，抒情文怎麼寫，論說文怎麼寫，起承轉合，四六六四，三五五三，而寫得好或是不好，唯一的標準就是考試時能不能得到高分。

我自己是一個受益者，但也是受害者。受益，因為從小我就因此知道該怎麼寫作文拿高分，而受害，就是一直到三十歲以前，靠著這一招半式走江湖已經綽綽有餘，我根本就不需要思考。

投其所好的作文，其實不需要思考，只需要懂得察言觀色，知道批改作文的老師想看什麼就行了。

即使後來出書了，被人稱為「作家」，應邀在寫作協會、文藝營開設給有志成為作家者的「寫作班」，我現在回頭想想，也是在做一樣的事，只是揣測心意的對象，從閱卷老師，變成了文學獎的評審。

可是無論考試還是寫作，難道真的不需要是「思考」的成果嗎？如果真是這樣的話，那麼多偉大的原創文學作品，研究論文，又是怎麼產生的？肯定不只是知識跟技巧的堆疊。

後來我甚至發現，看名人的傳記來當作人生指引，其實跟借同學的筆記來抄，其實本質上是一樣的。

這些取巧而來的知識，或早或晚都會遇到界線，一旦遇到邊界，就會像踢到鐵板一樣，無法繼續往前，所以越早發現知識不夠用，就會越快開始意識到思考的重要。所以請練習用三個「支持」的原因，跟三個「反對」的原因，試著回答以下這個問題：

一個從小很會考試的人，到底是幸運，還是不幸呢？

第四章

生涯和你想的不一樣

這一篇選文的目標——

・「青少年」的概念化與問題化

・「家庭」應該以誰為主？

十

十五歲的我，在阿根廷

十五歲的我，在阿根廷

褚士瑩

我的好友小杰，生長在高雄一個有四個兄妹的家庭，排行老大，當他十四歲那年，大妹十二歲，最小的妹妹七歲，按照身高一字排開，爸媽像古裝劇裡的皇帝、皇后那樣，分別坐在兩張寬大的單人椅上面，爸爸則是電影《真善美》（The Sound of Music）裡面的男主角父親，在客廳集合子女，進行閱兵，

「立正！稍息！立正！稍息！」

這外人看來肯定覺得奇怪的儀式，卻是小杰家標準的家庭會議。

稱作「家庭會議」恐怕是好聽的說法，因為基本上都是爸爸對子女訓誡、公布注意事項。

這一天的家庭會議也不例外。重複了幾次立正、稍息以後，父親向全家宣布了：

「昨天，我付給一家移民阿根廷的仲介公司七千美金，有一天的時間可以反悔，把錢拿回來，你們有沒有人有意見？」

對於小杰家來說，七千美金可是一筆大數目。因為父親非常的節儉，孩子們也鮮少添購新衣服。聽到這麼一筆大數目，自然很是吃驚。

「去阿根廷？誰要去阿根廷啊？」小杰心裡嘟噥著，但嘴上什麼都沒說，他當時剛國中畢業，考上當地的第一志願高雄中學，高雄又有群好朋友，根本人生勝利組，何必出國呢？就算要去也應該去美國啊！去什麼阿根廷？

小杰不知道當時媽媽，還有三個妹妹心裡想的是什麼，但總之誰都沒說話。通常在家裡扮演萬事通角色的父親，這次似乎對於要搬去阿根廷這件事，也出乎意料的沒什麼把握。但是下一個場景，這一家人已經坐在從東京飛到紐約的汎美航空的飛機上了。

上飛機之前，小杰還先去雄中註冊，心裡盤算著萬一到時候阿根廷移民計畫出包，發生什麼問題，回來臺灣還有學校可以念。

沒想到抵達阿根廷，卻是小杰原本滿分的人生，大混亂的開始。

他們當初是以開墾的名義，申請移民阿根廷的，所以照理來說應該到西北部拉里奧哈（La Rioja）省去墾荒，但是一家人到了首都布宜諾斯艾利斯就停下來了。至於這是一開始父母就計劃好的，還是一場意外，如今已經不可考，總之飛機落地以後，他們就沒離開過布宜諾斯艾利斯。

布宜諾斯艾利斯的生活，無論從哪一個角度來看，幾乎跟小杰生長的南臺灣沒有任何一點點相似的地方，但是最不能適應的，其實是小杰的父母。不適應的不只是針對陌生的南美洲食物，對於向來事事都希望完美、而且只要想做的事情都能成功的父親，發現這次要把西班牙文很快學好，似乎不是一朝一夕的事。不願意依賴別人幫忙，又要支撐一整個家，父親很快就意識到阿根廷不是能夠久待的地方。老實說，父母為了移民阿根廷這件事，幾乎已經散盡了家財，因此短短幾個星期以後，父親就自己一個人離開阿根廷回臺灣去了，對他而言，這是唯一能夠餵飽全家、同時讓家中財務狀況重新步上正軌的方法。

媽媽也沒待太久，因為父親需要她一起為了家庭的經濟打拚，所以在阿根廷待了幾個月以後，經過無數越洋電話跟家庭會議，終於也追隨著父親的前腳腳步，後腳跟著回臺灣，留下小杰和三個妹妹。

其實小杰跟妹妹們是有選擇的，媽媽臨走之前，問他們四個兄妹要不乾脆放棄阿根廷、一起搬回臺灣去。說來奇怪，要離開臺灣之前小杰並不想出國，但出了國以後又不想回臺灣了。原本剛來時覺得竟然要將沒有煮過的青菜、就這麼放進嘴裡，是件不可思議的事，在短短幾個月中不知不覺習慣，而且愛上了這種新的經驗。

「我可以的，我要留下來。」小杰記得自己這麼跟母親說。

雖然才經過數月，小杰已經意識到自己的世界突然開展、變得比原來寬廣許多，從出生開始十五年來浸潤在臺灣的傳統文化跟生活方式，此時的他開始嘗到一種跟過去截然不同的全新美好滋味。

「那你三個妹妹呢？」母親問。

也不知道哪裡來的膽量，小杰一派輕鬆的說：「沒問題，我可以照顧她們。」

就這樣，十五歲的小杰開始了一個人在阿根廷的少年生活。

不，不是一個人，比一個人還糟糕，因為小杰還帶了三個妹妹，代替了父母的位置。

從那時開始，每當沒阿根廷披索的時候，小杰就懷裡揣帶著美金，到一家韓國人開的雜貨店兼地下錢莊去換錢，因為黑市價格幾乎是官價的一倍。

「管教？那有什麼難的？」妹妹不乖的時候，毫無經驗的小杰就把她推進廁所，丟一本書進去，鎖起門來，現在想起來當時沒出事，真是萬幸。

當時在阿根廷的臺灣人，大概有兩、三千人，阿根廷正值福克蘭戰役失敗，全國士氣低落，經濟衰敗，每個月通貨膨脹以百分之三十的速度快速上漲，失業率居高不下。當地一個所謂的「老僑」，表面上幫助新僑民安置，背地裡卻安排當地黑道去搶劫這些臺灣來的新移民。在家裡沒有大人，人人自危，幾乎誰都幫不了誰的時候，小杰就在這夾縫中安安靜靜過了下來，沒有人特別注意到，一個臺灣來的中學生帶著三個小學、國中的妹妹在布宜諾斯艾利斯生活。

剛開始去的時候，一句西班牙語也不會講，而且當地學校已經過了學期一半，無法臨時入學，於是母親找了一個家教胡立歐先生，讓小杰到他家去學西班牙語。

「如果你跟我學那麼兩下子，就能插班進高中，還沒有被留級，我就在公園立你的雕像！」胡立歐先生對於小杰的媽媽這招到底行不行深表懷疑。

結果幾個月後，小杰不但若無其事的進了當地公立高中，跟當地學生若無其事的一起用西班牙語上學，還若無其事的每一科都輕鬆過關。胡立歐先生跌破眼鏡，從此就沒去他家上課了，當然公園裡也沒有小杰的雕像。

雖然小杰讓自己像空氣一樣融入布宜諾斯艾利斯，但自己其實是個局外人這件事，只有自己最清楚。

為了要在當時每個月通貨膨脹高達百分之三十的阿根廷生存，從小節儉成性的家庭教育，倒是意外幫了一個大忙，小杰很快學會如何算準什麼時候應該衝進店裡，在店員還來不及換價目表的時候趕緊採買日用品。

回想起來，小杰在十五歲以前，父母其實已經讓他做好獨立生活的準備了。

「既然回不去了，就找一條路吧！」

因為喜歡自然，小杰在阿根廷開始重拾從小對國畫、寫生、靜物、書法的熱愛，但是這一回，不再是為了比賽、求名次，而是為了跟大自然建立起親密的關係，似乎只有跟自然在一起的時候，才覺得安心。

阿根廷在那一陣混亂當中，生存了下來，他們兄妹四人在混亂的阿根廷，也找到了自己的方式，生存了下來。

那一年，小杰才十五歲，決定離開父母，帶著三個年幼的妹妹，在阿根廷落腳。他不知道未來會怎樣，對於自己的未來也想不清楚，但是小杰知道與其以一個少年的身分挺身跟世界對抗，不如在這個新世界，按照自然的腳步，順著春夏秋冬的時序，找到讓自己安心的韻律往前走。

「我相信，我會照顧好自己，還有三個妹妹，我們四個會一直手牽著手，靠我們自己走出那個會在家庭會議上要孩子立正、稍息的保守父母所無法想像的世界，找到適合自己的方法，找到屬於我們自己的未來。」

高中畢業紀念冊上，小杰還記得他用西班牙語引述了德蕾莎修女的名言：

即使人們不講道理、思想謬誤、自我中心，不管怎樣，還是要愛他們。
如果你做善事，人們說你自私自利，別有用心，不管怎樣，還是要做善事。
如果你成功以後，身邊盡是假的朋友和真的敵人，不管怎樣，還是要成功。
即使你所做的善事明天就會被人遺忘，不管怎樣，還是要繼續做善事。
即使誠實與坦率使你易受攻擊，但不管怎樣，還是要誠實與坦率。
就算你耗費數年所建設的可能毀於一旦，但不管怎樣，還是要建設。
需要幫助的人，可能會反過來攻擊你，但不管怎樣，還是要幫助別人。

將你所擁有最好的東西獻給世界，即使你可能會因此受傷，但還是要將你所擁有最好的東西獻給世界。

現實不一定盡如人意，但是卻不一定要用苦澀來迎接殘酷的現實。用笑容作為最強大的武器，來面對未知的世界，還有看似沉重的現實，是小杰在成年以前，學會的珍貴人生功課。

——原載自《我，故意跑輸》，大田出版，二〇一四

褚阿北的哲學蹲馬步

問題1：十五歲是大人還是小孩？

大人跟小孩的界限在哪裡？

是法律規定，還是自己決定？

如果根據臺灣的法律，勞基法第四十四條規定關於童工保障，年齡之限制為「十五歲以上未滿十六歲之受僱從事工作者，為童工」，並規定雇主不得僱用未滿十五歲之人從事工作。但國民中學畢業或經主管機關認定其工作性質及環境無礙其身心健康而許可者，不在此限。所以即使在臺灣的法律裡，也是曖昧的。

根據國際勞工標準，兒童可以從事「輕量工作（light work）」，這是指該工作不會損害工作者的健康和發展，並且不阻礙他們上學和接受職業培訓的機會。一般國家都會容許十三至十五歲的兒童從事「輕量工作」，但有關工作時數和種類則因地而異。而這些工作可包括家務清潔、輕巧的農耕種植工作、店務員、售票員、送報員、包裝、運送等。

十八歲以上的人士才能從事所謂的「危險工作（hazardous work）」，包括採礦、編織毛毯、製造磚塊和玻璃、建造業、製造業、販賣酒精、水底工作（underwater work）、控制機械、街頭販賣及娛樂事業（如在夜總會、酒吧、賭場、馬戲團等工作）等。

另外有一種工作叫做「最惡劣形式的工作（the worst form of work）」，所有十八歲以下的青少年是嚴禁參與或從事這類工作，包括將人當作奴隸、販賣、用作抵債；強迫參與戰爭；賣淫、從事色情事業；製造或販賣毒品等，嚴禁十八歲以下的人從事，卻也不代表十八歲以上的人應該要從事，這跟年齡其實關係不大。

所以，十五歲到底算大人還是孩子？

通常，我們都會說，十五歲的人叫做「青少年（teenager）」，卻不知道其實「青少年」這個我們覺得理所當然的詞，只被發明了不到一百年。在一九二〇年之前，是沒有「青少年」這個概念的，不信的話，我們回想身邊的老人家，很多都說自己從小只要夠大、能夠走路、說話開始，就要幫忙家裡的田裡工作、帶孩子、上市場做生意，其實全世界都是這樣的，不是小孩，就是大人，而只要有工作能力的，就不再是小孩。

「青少年」被脫離出來變成人生的一個階段，跟當時在美國汽車的發明跟普及，還有在德國大型學校（就是我們現在上的學校）的開始盛行有直接的關係，在人類如此漫長的歷史上，一百年其實是非常晚近而短暫的。所以如果現在的你，生活在這個「青少年」的階段，其實應該要意識到「青少年」這個概念如果根本不存在、或者是「假的」，又或者你只有兩種選擇，那麼你要決定把自己當作大人，還是孩子看待？

問題2：「家庭」應該以誰為主？

在你的家裡，是以誰為主？

當我聽到一個轉學生說，他搬到一個新的城市，是因為他的父親工作地點改變，那麼我就知道，他生活在一個以父親為主的家庭。

因為，我也看過很多臺灣人放下家人到中國工作，很多日本人到外地「單身赴任」，韓國也有一個名詞叫做「候鳥爸爸」，這些在外地工作的父親，一年可能只回家探望家人一、兩次，當問到為什麼不全家人一起搬，往往會聽到「為了孩子的教育」或是「為了家人的生活品質」，我就知道這個家庭，是一個以「孩子」為主的家庭，或是一個沒有把父親算進「家人」的家庭。

候鳥爸爸把自己變成工作、賺錢的機器人，把自己的「價值」換算成匯入國外妻小帳戶的「價錢」數字。

有一個針對韓國候鳥爸爸的訪談發現，候鳥爸爸日常生活所攝取的飲食營養素，只有四分之一達到均衡狀態。而飲食不均衡的主要原因，是為了多省一點錢寄回國內給妻小父母，而這些候鳥爸爸工作之餘，大多只用泡麵或紫菜包白飯裹腹。而在精神狀態上，也有高達三分之一的候鳥爸爸受慣性失眠所苦，並有白天提不起精神等憂鬱症病狀。

不只是人類，居住在南極大陸界的皇帝企鵝，也是以孩子為中心的例子，每年的五至六月間，母企鵝生下蛋後，會很小心的將蛋交給企鵝爸爸，然後返回大海覓食，一去兩個多月。在企鵝媽媽回來這段時間，就由企鵝爸爸孵蛋，一般孵化時間大約六十五天，由於當時是南極極冷的時候，企鵝爸爸將兩腳緊靠，把蛋放在上面，用腹部緊緊的將蛋包住，因為蛋只要沒包好，幾秒鐘內就會結凍而死。這兩個多月期間，企鵝爸爸只能不吃不喝，依靠燃燒身體中儲存下的脂肪度日直到蛋孵化，在這期間企鵝爸爸往往會失去一半的體重。

牠們會遇到極嚴厲的風雪考驗，只能靠著跟其他公企鵝緊緊相依，同時必須不斷的晃動，來維持身體的熱度。如果在小企鵝出生後，企鵝媽媽仍沒有回來，企鵝爸爸會繼續將小帝企鵝全身覆蓋，再從食道的一個分泌腺中分泌出乳白色的乳狀物質來餵食小企鵝，但這頂多只能維持一、兩天，如果企鵝媽媽這時候再不回來接手餵養小企鵝，小企鵝就會餓死。

當企鵝媽媽回來時，企鵝爸爸身上能量已消耗殆盡，就輪牠離開去大海尋找食物，但是企鵝爸爸離開的時間會比牠的伴侶離開的時間短一些，大約數週之後，企鵝爸爸便會返回，接替企鵝媽媽餵食小企鵝。隨著部分冰塊融化，覓食變得容易，而小企鵝的食量也變大，經常兩隻企鵝會一起去覓食，否則無法滿足小企鵝的需要。

因為一夫一妻制，所以只要其中一隻企鵝死掉的話，小企鵝也無法存活。在皇帝企鵝的世界裡，父母存在的目的，顯然就是為了讓小孩活下來。

只要看到這個家庭，總是在「配合」誰，誰就是這個家庭的中心。

我們身邊也看到有需要長期照護病人的家庭，往往在這個病人離世之前，就是家庭的中心，但是這樣對於其他的家人，真的公平嗎？如果這個需要「長照」的家人，住在所謂的「長照機構」裡的話，他還會是這個家庭的中心嗎？所以家庭以一個病人為中心，讓全家人來配合，屬於合理還是不合理？

所以小杰的家庭，是以誰為主？證據是什麼？

你的家庭，是以誰為主？證據又是什麼？

如果你現在開始思考，這樣的安排，是合理的，還是不合理的？

如果可以改變的話，你會希望你的家庭，誰才是中心？或者，家庭一定要有一個人作為中心嗎？如果家庭的中心，不是一個特定的家庭成員，那麼應該是什麼呢？

這是個值得全家一起思考的問題。

這一篇選文的目標——

•「問題化」：任何現在認為對的事情，很可能只是還沒被推翻的假設。

•「溝通」的要素。

十

你想做的職業，還沒有被發明的職業

你想做的職業，還沒有被發明的職業

褚士瑩

最近有一回到某個相當偏僻的私立職校去進行生涯工作坊時，我看著臺下嚼著泡泡糖，拿著小鏡子在化妝、滑手機、睡覺、聊天的學生們，當場決定關掉投影機，放棄我原本準備的簡報檔案，把視聽教室的窗簾統統拉開。下午明亮的陽光瞬間灑進了教室，老師跟學生們突然都露出困惑的樣子，不曉得臺上的這個大叔想幹麼，是不是生氣了？

我並沒有生氣。

「不知道自己以後要做什麼的請舉手。」我微笑的看著青春正盛的臉龐。

一、兩雙手怯生生的舉起來，我帶著鼓勵的微笑，環顧著每一張以自己的方式美麗著的臉，慢慢的，有越來越多的手舉起來，過了一分鐘，除了少數幾位用懷疑的斜眼瞪著我之外，幾乎所有學生都舉手了。

「恭喜你們！」我為他們拍手叫好。

然後我解釋，我的想法跟很多家長、父母不一樣，因為我相信：

「你以後最想做的工作，搞不好現在根本還沒被發明出來！」

那些以前人無法想像的職業

我這麼說是有證據的。為了證明這個「偏激」的觀點不是空穴來風，我請大家一起想，哪些工作是現下年輕人認為當然是「真正的工作」，但是「大人」根本不懂的。

很快的，我們有了一長串有趣的名單：

• 直播主

- 經營網路商店
- 代購
- Airbnb
- 設計 LINE 貼圖
- 網紅
- YouTuber
- 韓國藝人
- Uber 司機

從小就知道自己要當醫生、當老師的孩子，對於要如何成為一個直播主、YouTuber，可能並不關心，搞不好連聽都沒聽過，以後當然不會變成直播主或YouTuber。只有不知道自己要做什麼、也沒有一定非做什麼不可的人，遇到一個新行業時，才會去嘗試、追求，所以就會變成一個比較有趣的人。

我在身後的黑板把大家的答案寫下來以後，轉過來面對學生們：「所以不知道自己以後要做什麼，是不是比較好呢？」

臺下原本黯淡的眼神，慢慢的露出了亮光。

現在的問題，就是未來的工作

我看到的這群學生，並不是老師們看到的「不知進取」的「迷惘年輕人」，而是學校並沒有教他們如何趁在學校的時候做準備，才能成為一個「知道如何擁抱未知」的人。

我轉而又問：「但是，有沒有可能等你們出社會的時候，這些現在覺得很『新』、或是很想做的工作，到時候已經不夯、不想做了呢？」

想了想後，很多人都點頭。

「那怎麼辦？」我把這個問題丟回給在場的學生們。

一個人要如何透過「學校」、「教育」、「學習」，準備好去面對難以預測的未來？一個世紀以前，世界上大部分的職業都是農業相關的工作，但這些工作到今天，已經消失了百分之九十以上，說不定現在學習寫程式、財務會計，未來十年都會被機器人取代，就跟機器取代插秧跟收割一樣革命性呢？

「多去看外面的世界，對問題保持好奇心。」我給學生們兩個建議。

多去看外面的世界，因為你最想做的工作，搞不好已經被創造出來，只是你不知道而已。比如在三十歲去學習航海之前，我從來不知道原來已經有護士靠著在郵輪上開「海上洗腎中心」，一面賺錢，一面幫助別人，一面爽爽的環遊世界。

至於對問題保持好奇心，因為我們雖然無法預測未來的「職業」，但可以確定的是，只要已經存在的問題，就一定有被解決的需要，只是解決的辦法目前還沒出現而已。無論是上網速度太慢，癌症沒辦法被治癒，還是年輕人買不起房子，騎摩托車太危險，獨居老人越來越多，雖然現在看起來無法解決，但現在的問題一定會轉變成未來的工作。

讓自己保持開放，面對未來的無限可能！

「為什麼你會知道？」有一個畫著濃妝的女學生舉手問。在場的老師顯得很驚訝，因為整個學期這是她第一次在課堂上發言。

「我知道。因為我自己就是在學校的時候，那個完全不知道以後要做什麼的人啊！」我笑著說。

我現在的工作，每年在四個國際NGO組織擔任顧問，包括在緬甸的山區協助武裝部隊準備停戰協議，在臺灣的原住民部落開說故事工作坊，在法國的哲學機構為企業內部進行哲學諮商，還有在國際公海上為船員做衝突解決的訓練，這四個統統都是我在學生時代，甚至幾年前，無法想像、也不知道那是什麼的工作，現在卻都成了我「真正」的工作——即使我常常花很多時間說明，我的媽媽還是不知道我每天全世界飛來飛去都在幹麼，但是她知道我很開心，而且不會餓死，那就好了。

五年之後，搞不好我會做跟現在完全不同的事，但現在的我，並不知道那會是什麼，也不擔心，因為我知道無論如何，一定會很有趣。

如果你也不知道自己以後要做什麼，或是不知道在學校學的知識，跟未來有什麼關係——你很有可能是對的。

走出去看看外面的世界吧！

保持對世界各種問題的好奇心吧！

趁著青春時光，打開一扇一扇通往各種可能性的大門，學習具備「學會新事物」的能力，成為一個「知道如何擁抱未知」的人，至於「考試」跟「成績」，相較之下都是不太重要的小事。

——原載自《獨立評論》，哲學諮商室專欄，二〇一八

褚阿北的哲學蹲馬步

問題1：我應該知道自己以後要做什麼嗎？

根據美國一項題為《人類與機器關係的未來時代》的研究報告指出，在二〇三〇年的各種職業當中，有百分之八十五目前尚未被創造出來。

如果這個預測是正確的話，現在的我，真的有可能知道、或是應該知道自己以後要做什麼嗎？

我現在要怎麼決定現在還不存在的事情？

我之所以可以決定今天晚上要不要去夜市吃鹽酥雞，是因為我確知夜市今天晚上會營業，而且夜市有賣鹽酥雞，不僅僅是我喜歡、我想吃，而且我有足夠的錢買鹽酥雞。

假想一下，如果鹽酥雞根本還沒有被發明出來，要到今天晚上世界上才會首度有鹽酥雞這種東西存在，現在的我，可以做出晚上要吃鹽酥雞的計畫嗎？

同樣的，如果有百分之八十五的機會，我十年後最想做的那份工作，現在根本還不存在這個世界上，我現在能做的準備工作是什麼？

努力學習更多知識？

學習如何學習新知識？

什麼能力，能夠讓我比「立定志向」更具價值？

問題2：我要怎麼知道別人心裡在想什麼？

俗語說：「聽其言，不如觀其行」，因為我們很多時候，嘴裡說出的話，未必是自己心裡真正的想法，但是行動往往是比較真實的，比如小時候媽媽催我們趕快去洗澡時，我們嘴上會說：「好啦！馬上就去。」但是其實半個小時之內，根本不可能會這麼做，但是我們還是這麼說，因為如果不這麼說謊的話，可能會有比說謊更嚴重的後果，比如說讓媽媽抓狂。

所以我們都知道，光是聽一個人說的話，是不可靠的。

但是看一個人的行動，真的就可靠嗎？我們真的可以從一個人做的事，看出他的內心在想什麼嗎？比如一個在校門口幫助老太太過馬路的學生，到底是真心為了這個老太太的安全著想，還是心裡想著要受到師長的注意跟誇獎，為即將到來的模範生選舉鋪路？

如果無法從一個人說的話、做的事來判斷，那要如何觀察，才能夠達到洞悉的效果？

每次我應邀到一個陌生的環境演講或是上課，站到臺上的第一件事，就是要仔細觀察我眼前的觀眾，他們眼中的期待或抗拒，精神的疲倦或興奮，這個場地的氛圍是嚴肅還是輕鬆，空氣流通程度，光線明暗，麥克風的回音，然後我才能決定我今天要說什麼，不要說什麼，該做什麼，不該做什麼，而不是專注在我事先早就已經準備好的投影片跟內容。

所以拜觀察之賜，我從來沒有講過兩次一模一樣的演講或上課內容。

你有沒有什麼好方法，可以訓練自己的觀察力？

這一篇選文的目標——
・認識邏輯中的「因果關係（Cause & Effect）」
・哲學諮商中「負責（responsible）」的概念

十 靠著洗腎環遊世界的人

靠著洗腎環遊世界的人

褚士瑩

常常有讀者問，要怎麼找到一個可以旅行，同時可以賺錢，又可以對世界有幫助的工作，雖然我不斷強調：「各行各業都有著這樣的角色，等著我們在追尋夢想的路上去發現」，但永遠還是有幾個人，希望我直接給他們一個清楚的答案，一個徵才的網站，加上幾封推薦信，跟十個聯絡人，好像對我的回答不耐煩：「如果你那麼確定，去去去！趕快幫我找一個吧！去的地方要好玩，還有，錢不能太少喔！對了，最好可以預先幫我把卡債付掉，對啊！他們不是要做好事的嗎？就先幫我吧！先謝啦！」

每次遇到這樣的人，我雖然表面微笑，裝作思考的樣子，其實正幻想著把對方的頸子扭斷。這樣的人，鮮少想到自己是否具備專業能力，雖然宣稱追尋夢想，卻懶得做功課，滿腦子充斥著自己幻想中的完美生活，關心自己，卻很少想到別人，就算哪天面前攤著一個如此完美的工作，恐怕也沒有完美的個性跟能力，可以匹配這份有意義的工作。

不可思議的職業

我最近認識的一個新朋友，他簡直就是那個每次我在演講上，面對許多充滿夢想卻又充滿懷疑的年輕人時，想要給他們看活生生的證據。

他是個靠著幫人洗腎環遊世界的男人。

他的名字叫法蘭克，今年已經五十多歲了，全職工作是在豪華郵輪上幫需要的病患每隔一天洗腎，像這樣的「海上洗腎公司」，目前全世界就只有這麼一家，這家公司裡，全職的護理人員，也就只有他一個，意思就是說，我認識的法蘭克，是全世界唯一一個靠洗腎的本領，在海上一面旅行，一面幫助需要的病患，一面賺錢的人！

「我也從來沒有想到，當一個護士，會當到可以用最時尚的方式免費環遊世界！」

朋友介紹我們認識的那天，他工作的船正好停泊在希臘的聖托里尼（Santorini），因為船上只有五個病患，而且只需要每兩天洗腎一次，所以做一休一，就跟著玩了起來。當時我就對他的工作，留下了很深刻的印象，還要了網站，上網看了好久，因為我父親的腎臟功能也逐漸下降，目前只剩下百分之三十五左右的功能，遲早會面臨洗腎的問題，到時候的生活品質，恐怕會受到很大的影響，但是法蘭克的公司，卻給了我一個洗腎病人也可以過正常生活的新希望。

最近我們在同一艘船上又碰面，在俄羅斯黑海的度假勝地索契（Sochi）那天，我們喝完下午茶，他帶我去看他船上洗腎的儀器，並且聊他的工作。

從理髮師變海上護士

從十八歲高中畢業開始，法蘭克就沒有繼續升學，在密西根當了十年的救護人員，但每天面對不是車禍就是凶殺現場，要不然就是心臟病發，終於覺得倦怠，決定轉行，趁還年輕離開冬天陰鬱的中西部，搬到終年充滿陽光的佛羅里達，成了理髮師。可是沒想到每到夏天，避寒的度假客人離開後，理容院的生意就清淡得無法維生，為了增加收入，法蘭克看到報紙上一則診所應徵洗腎技師的小廣告（「待遇優，無經驗可」的那種），就真的去應徵，從此白天洗腎，晚上繼續剪頭髮，到了一九九〇年，他決定把僅有的存款拿來投資自己，花一年時間去念職業課程，成為有執照的洗腎技師。

這樣過了幾年，法蘭克發現有護士執照的，雖然同樣在診所做一樣的事情，但是待遇卻好很多，於是就發憤圖強，繼續用理髮師跟洗腎的存款，在工作之餘花了兩年半的時間拿到二專學歷，二〇〇三年終於成為有執照的護士（在美國四年制的大學跟二專都可以取得護士執照，待遇差不多，但是如果想升護士長，就非得有大學學歷不可），他回憶當時的情形：

「班上大多都是十八到十九歲的小女生，只有我一個將近五十歲的老男人，真的是不想突出也很難！」

成為護士開始在診所實習時，法蘭克發現因為佛羅里達是很多郵輪的停靠站，每次船上臨時缺護士的時候，就會就近找岸上診所裡願意臨時排班的護士，雖然沒有薪水，代價是免費郵輪假期。在他嘗試了兩、三次後，接觸到海上洗腎的Dialysis at Sea——一家成立三十年的海上洗腎公司。他告訴老闆，如果可以支付薪水的話，他願意擔任全職。就這樣，從二〇〇五年五月開始，成為海上第一個也是至今唯一一個洗腎護士，轉業的那年剛好五十歲。

「我從小就想要旅行，但是從來沒想到護士資格，可以讓夢想成真。」法蘭克說，「我想我的故事告訴大家的是：追尋夢想，永遠不嫌太遲。」

海上怎麼洗腎？

我到船上的洗腎中心（場地是跟郵輪租的一間醫護室），看到各式各樣的精密儀器，看起來就有點嚇人，聽說護士一般需要六個月學習如何洗腎，市面上有六、七種不同的機種，每種操作方法都不太一樣，至少在陸地上有兩年同機種的洗腎經驗，才可以到海上工作，因為萬一儀器有什麼差錯的話，如果是陌生的機型，一般的護士可能會束手無策。

一艘郵輪配置四臺機器，病患平均一週洗腎三次，每人每次大約要花三、四個小時，一天最多可以洗四個患者，也就是說每艘船最多可以接受十六個有洗腎需求的顧客。

我看了這些笨重的機器以後，就知道為什麼這個領域沒有競爭對手了。因為一臺機器要價兩萬美金，如果隨時要維持在四艘不同的郵輪上都能洗腎的話，公司就要擁有三十五到四十臺機器調度，還要養兩輛大卡車，專門將機器從佛羅里達運送到美國其他港口，除了運費還有船上的場地租金、護士跟醫生的房間費用，不是簡單可以賺的錢啊！

「美國的醫療保險通常沒有包括洗腎，自費洗腎一次平均要五百到六百美金，如果是七天的郵輪行程，我們加收一千美金，以一週三次來算的話，價格並沒有比陸地上貴——就算洗四次，價錢也一樣喔！」法蘭克說，但是我相信洗腎這種事，再怎麼歐巴桑性格的，也不會特地多洗幾次撈回本的吧？如果病情有變化，與岸上的醫生聯絡，腎臟科專門醫生特地在船上看診也是免費的，有時候也會需要讓病患中途下船就醫診治。

「我會看行程，彈性決定什麼時候幫患者洗腎，如果他們千里迢迢跑去以色列或埃及，卻因為要配合洗腎的時間，不能去參觀，那不是很嘔嗎？」

我看，是法蘭克自己會很嘔吧？不過，皆大歡喜有何不可！

洗腎患者可以事先在網站上面選擇行程，五個人就成團（有點像團購），只要一艘船上有足夠的病友報名，法蘭克的公司就派人隨船服務，因為在船上可以洗腎，病患從此也可以像正常人那樣愉快的出遠門旅行，無後顧之憂。這樣的服務，不需要是跨國的大財團，也不需要是慈善團體，即使只是個小公司，只要有設備，跟郵輪公司協調好，找到一個良好的營運模式，就能達到互惠雙贏。孟加拉的社會企業家，也是諾貝爾獎得主的尤努斯博士不斷倡導的Social Business（社會企業），不正是如此嗎？

法蘭克不知道什麼叫做社會企業，但是來自世界各地很多跟他合作的專科醫生跟護士，聽說可以每天花幾個小時幫病患洗腎（平常每天就在做的事），就可以換來一趟免費豪華郵輪的夢幻航海假期，因此趨之若鶩，有多少人在享受休假的同時，還可以用自己的專業幫助別人？每一個環節接觸到的人，都因此成了受益者。

永遠不會太遲

法蘭克成為海上洗腎公司的護士長已經將近五年的時間，但是他還繼續自修護理系的學士學位，只要那一科念完以後，去考試中心考試，通過了就可以把學分寄到寄放學籍的大學。

「這樣比遠距教學的課程，還要便宜喔！」一路上都靠半工半讀完成學業的法蘭克說。

但一年到頭環遊世界，有時候也不是那麼寫意的事。

「雖然已經預先知道全年的時間表，但是一年只有八個星期在家，有時候還是會思鄉。」

當問到法蘭克他會不會想要回到陸地上的診所工作，他笑著說：

「在陸地上的診所，患者來洗腎是因為他們不得不來，但是在海上，卻是因為自己想才會來，所以雖然我做一樣的事——洗腎，但在這裡，我接觸到的每個病人都是開開心心，充滿感謝的，也因此結交了世界各地的好朋友，那種成就感，是陸地上不能比擬的！」

回到一開始年輕讀者跟我的對話。

「去www.idealist.org這個網站搜尋看看吧！」好不容易回過神後的我，最後只好對渴望答案的讀者這麼說。

「看符合自己專長的領域，他們需要的條件是什麼，這樣就比較容易知道應該從哪裡加強準備。」

看到他們認真的抄下來，我知道隔天，他們又要問我，看英文的網站太累了，有沒有中文的網站。

「趕快告訴我，別拖拖拉拉，我的夢想還在等待哪！」我彷彿聽到焦躁的聲音在催促我。

我有個在公益旅行領域經營很多年的朋友康尼，他對人永遠有飽滿的信心，讓我感到很慚愧，他說的一段話在這時候帶給我很大的安慰：「人品好的人，旅行可以改變世界；旅行多的人，人品因旅行而改變。」

有了這句話的鼓勵，我才有繼續面對同樣的問題而不至於抓狂的能力，因為我相信，不管一個人開始做公益的動機是真心的還是虛假的，接觸久了以後，假的也會變成真的，更何況是一個可以賺錢又可以環遊世界的機會？

下一次，請記得別劈頭就問我你應該做什麼，才可以也像法蘭克「這麼幸運」，我只會（很誠心的）請你去www.idealist.org查查看再說，但是如果你也像法蘭克那麼努力，我會很樂意和你討論。

——原載自《台灣立報》，二〇〇九

褚阿北的哲學蹲馬步

問題：人應該按想的方式活，還是按活的方式想？

如果現實是一塊布料，你的夢想是金蔥亮片、蝶古巴特、還是鑽石別針，或是一條金線？

有人在乏味的現實中只求「小確幸」，排隊三個小時買一塊燒餅，搶購一款限量名牌包，搶熱門演唱會的票，這種永遠都是用金錢消費交換而來的夢想，其實只是隨便用三秒膠貼在現實這塊布上的一顆金蔥亮片，俗豔突兀而怪異可笑，而且一摳就掉，還會留下一塊疤痕。

稍微用心一點的，把夢想當成「蝶古巴特（Decoupage）」拼貼藝術DIY。這些人跟著流行，每幾年就有一件熱衷的事，前幾年量身訂製摺疊自行車，這幾年則到世界各地跑馬拉松，每隔幾年就蝶古巴特一下，用便宜、速成的短暫嗜好，換個表面有趣的圖案，內在本質卻從來沒有改變，還是那個老舊無味的人生，其實什麼都不喜歡。

有人的夢想，則是一顆巨大而沉重的豪華別針，鑲著鑽石紅寶貓眼，勉強別在現實這塊布上，將整件衣服都拉垂變形了。厭惡教書的老師，平日啟動自動駕駛模式渾渾噩噩度日的上班族，一放長假就迫不及待去國外跑趴、搭豪華郵輪，或是把便宜的小套房，硬生生安裝上豪宅等級的家居用品跟廚具，就像是那枚鑽石別針。

夢想不是用來掩蓋現實，就像美麗的衣服無法遮住醜陋的心靈，很少人可以像法蘭克找到唯一能夠讓夢想跟現實共存的方法，把少量而珍貴的夢想織進現實的布料裡面，變成一條畫龍點睛的金線。

法蘭克取得護士執照時，已經將近五十歲了。大部分的人活到了這個歲數，年輕時的夢想早已被生活中的瑣事磨蝕殆盡，甚至不用活到法蘭克這個年齡，有很多比他更有條件追尋夢想的年輕人，空有熱情，卻吝於為自己的夢想付出，或是因為害怕失敗而裹足不前。

如果法蘭克因為種種世俗的考量，甘於在佛羅里達擔任一個理髮師，或是在進修的過程中一受到阻礙就放棄，他還有可能完成自己的夢想，成為少數登上郵輪的洗腎護士嗎？

關於生涯這件事，如果你不按你想的方式活，就會按你活的方式想，自己不決定，就會被決定，這樣比較好嗎？所以，你的決定是什麼？

十 跑步，讓平凡的我們變成有故事的人

這一篇選文的目標——

- 如何使用「論證（argumentaion）」
- 如何應用黑格爾的「辯證（dialectics）」方法

跑步，讓平凡的我們變成有故事的人

褚士瑩

當川內優輝拿下二〇一一年東京馬拉松賽，以二小時八分三十七秒的優異成績獲得總名次第三名，取得世界田徑錦標賽日本代表隊選手資格時，不是因為他年輕（當時二十四歲），也不是因為衝過終點後氣力耗盡昏倒在地的戲劇性，也不是他符合高富帥的任何一個條件，他之所以從那一刻開始吸引了全世界的目光，出現各報頭版版面，在於他只是一個業餘的「市民跑者」。

川內雖然從小跑步，但是因為學習院大學時代的田徑表現不突出，所以畢業以後並沒有被選入附屬於企業之下的田徑隊「實業團」擔任職業選手，但是這並沒有改變他對於跑步的熱愛。

後來川內進了埼玉縣市政廳，擔任一個普通的公務員，服務於春日部進修學校，跟大多上班族一樣一週工作五天，每天工作八到九個鐘頭。因為工作之餘的時間不多，每個月的訓練量只有六百公里，是職業選手的一半左右，但是他還是繼續跑步，甚至自掏腰包支付所有訓練費用，每年在田徑訓練上的費用就要花掉將近一百萬日圓。所以，他必須要特別小心不要受傷，比賽也都必須請事假參加，但是他相信有多少時間、多少資源，就做多少事，重點是找到適合自己的方法，然後全力以赴。即使後來在賽事中一鳴驚人，這些年來他還是堅持市民跑者的業餘身分，打從心底喜歡跑步，繼續當一個享受田徑真正樂趣的人。

川內對於跑步的熱情和追求，本身就是一場生命的壯遊，只是這個壯遊，會帶他認識其他擁有同樣熱情跟追求的人，一起到各式各樣的遠方去旅行。

我的生活周邊也充滿這樣的跑者，因為跑步而在世界壯遊著，他們是我在臺北出版社的編輯，是到緬甸北方農場服務的志工，是跟我一起去日本富士山騎自行車耐力賽的企業隊友，換句話說，都是跟你我一樣的普通人，但他們的旅行，幾乎都是圍繞世界各地的馬拉松賽事，雖然我自己不是一個跑者，但我發現我所認識每個跑步跑到國外的人，從來沒有任何一個我不喜歡的。

長期喜歡體育的人，有一種紀律跟公平的性格。

長期喜歡旅行的人，有隨和的態度跟開放的心胸。

喜歡跑步而一路跑到國外去的，似乎兩種優點兼具。

澳洲業務員崔斯坦．米勒（Tristan Miller），在全球金融海嘯期間被谷歌裁員以後，沒有什麼運動神經的他開始跑步，後來二〇一〇年，他用這一整年五十二星期，去了四十二個國家跑馬拉松，每天跑四十二點二公里，儘量去不同的國家參加比賽，這樣簡單的原則，讓他從一個失業的平凡上班族，變成了一個有故事的人，後來在出版了一本書後甚至開始新的職涯，成為激勵人心的演說家，到處說自己如何用跑步來翻轉人生的故事。

跟著熱情「慢旅行」，不見得一定要跑馬拉松，當然也可以徒步（Trekking）或是騎自行車，但共同點是憑藉自己的體力進行「慢旅行」。

無論是牽著馬匹沿著美國大峽谷谷底徒步旅行，或是拄著登山杖、背著露營裝備爬司馬臺，攀登未修補的野長城，去聖雅各城走完朝聖之路，還是繞著世界跑馬拉松，聽從自己內心熱情的「慢旅行」，能讓一個原本平凡無奇的人，在這過程當中被世界的能量慢慢灌注、充滿，變成一個有故事的人。

——原載自《這輩子總要冒險一次！》，健行出版，二〇一五

褚阿北的哲學蹲馬步

問題：為了理念而破壞規則，是對的還是錯的？

還記得我們之前說過的「群我關係」跟「人際關係」嗎？

不只野生動物有分成獨來獨往跟群居的，在運動的世界裡，也有「團隊項目」運動，跟非常自我中心的「個人項目」運動，像是這篇文章當中提到的馬拉松，就是屬於個人性質的，報名也是個人的，成績也是個人的。

但是馬拉松賽中，卻有人打破這個規則。

二〇一七年倫敦馬拉松賽場，有一位Swansea Harriers跑步俱樂部的成員叫做馬修．里斯（Matthew Rees），眼看就要過到終點線的那一刻，他卻停了下來，因為他看見了另一位跑者大衛．懷特（David Wyeth）身體僵直、雙腿彎曲，似乎體力不支，於是他犧牲了自己的成績，停下來前去攙扶懷特，直到兩個人都完成了比賽。

會後馬修向記者表示：「只差最後一個彎道，我就要完成了，正在我準備衝刺之時，我看見他幾乎要昏倒，卻又想試圖再次站起。這讓我感到難過，同時也覺得如果我能幫助他順利通過終點線比起我自己衝刺的那幾秒來得更有意義。」

馬修為了自己的價值觀，不惜破壞馬拉松個人項目的精神，馬修這麼做是對的，還是錯的？

相對的，運動賽事中著名的自行車環法賽，則是不折不扣的團隊項目。就像其他公路大賽一樣，選手們組織隊伍參賽。每一隊由九名選手組成，共有二十至二十二個小隊。傳統上，只有一流的專業賽車隊才能收到參賽邀請。每個車隊以出最多錢的贊助商命名，穿著隊服，比賽時，每個車隊採取團體戰術，隊友之間互相幫助，通常車隊後面還有一部支援車帶著配件等備急緊跟著他們。

但是有一部我喜歡的法國公路電影，片名叫做《騎動人生》（Tour de Force），卻打破了環法賽「團隊競賽」的規矩。

這電影內容並不是講一般的自行車隊的選手，而是一個從小就愛騎車的業餘中年單車素人阿佛，為了提供穩定的生活給老婆跟青春期的叛逆兒子，只能將自行車夢藏在心底，在一家贊助環法賽車隊的自行車公司上班，有機會去環法賽支援公司的贊助車隊，讓老婆大人震怒，阿佛酒後失態後也被老闆當場開除，在一切已經糟得不能再糟的情況下，乾脆用自己的方式參加從小開始就夢寐以求的環法賽，參加的方法是比正式選手們提前一天出發，但騎跟正式選手完全相同的路線，雖然完全不符比賽資格，但因為他不參加正式比賽計時，所以沒有人能夠阻止他這段總共三千五百公里，分成二十一段，二十三天的旅程。就算沒有象徵榮耀的黃衫，也沒有人能否認他確實騎了環法公開賽的事實，因此感動了其他爾虞我詐、忘了初衷的專業車手，還有電視機前面廣大的觀眾，完成了「一個人的自行車環法賽」。

阿佛這麼做，是對的，還是錯的？

1. 請用三個原因，說明為什麼馬修、阿佛的行動，是符合運動精神的。
2. 另外再用三個原因，說明為何馬修、阿佛的行動，違反了運動精神。
3. 馬修、阿佛，他們兩個人相反的行動，一個表面上破壞了個人運動項目的規則，另一個破壞了團體運動項目的規則，但是他們兩個人的理念，是否維護了運動精神的共同價值？試舉出三種價值。

十 尋找世界的入口

這一篇選文的目標——
• 邏輯思維中「深化（deepening）」能力的應用
• 練習邏輯思維中的「反思（reflections）」

尋找世界的入口

我們不是已經生活在世界上了嗎？怎麼還需要找個入口呢？

新井一二三

1

我在日本東京長大。對小時候的我來說，世界是很遙遠的地方。世界是美國，世界是歐洲，都是在電視旅遊節目裡能看到，但是我身邊沒有人去過的地方。

講語義的話，世界包括地球上所有國家和地區，當然也應該包括日本在內。可是，當年住在東京都新宿區的小巷裡，我的活動範圍特別小，跟大世界簡直沾不上邊似的。如果有人告訴我，你也是世界的一分子，恐怕我會以為他是個騙子。

從我家到學校，新宿區立淀橋第四小學校，走路不到三分鐘，而且巷子特別窄。窄到什麼程度呢？兩個行人擦肩而過都需要側身。有一次我家對面的同學家房子失火，但是消防車開不進來，只好把水管放得很長很長，花了好幾個小時才滅了火。那是我小學二年級的冬天，已經幾十年過去了，可是心中的不安至今記憶猶新。

那一帶密密麻麻蓋的木造房子，都是平房或者兩層樓，包括我自己住的家。有些大機關，如當年的日本國鐵或日本銀行，為職員家屬蓋的宿舍是四層樓的水泥公寓，卻是附近最高的樓房，在我眼中看起來很氣派。所以，我的世界不僅很小，而且很矮。

下課回家以後上河合樂器的音樂教室、書法班、珠算班，都是在走路五分鐘的範圍內。有時候，替母親去買東西，也都在家附近個人開的蔬菜店、麵包店、鮮肉店、南北乾貨店。平時去最遠的地方，也不過是同一個學區裡面的一些朋友家。路上要經過一條大馬路叫大久保通，有個紅綠燈的，看右看左後過馬路，對當時的我來說就是最大的冒險了。

2

我懂事的時候，家裡已經有一輛車。到了週末，父親會開車帶我們去東京郊外的河邊、海邊、山區等等。講距離的話，大概每一趟都有上百公里吧。但是，我並不覺得我的世界因此而擴大了多少，因為我只是坐在父親開的車子裡，並沒有離開父母提供的環境。我從小就相信：有自由的地方才稱得上世界。電視節目裡出現的外國人都顯得好快樂，好自由自在。否則的話，我也不會幻想：長大以後一定要去世界闖一闖。

有幾次，我自己去過住在東京東部的姥姥家，是大約一個小時的旅程。單獨一個人出門，坐電車看窗外的風景，感覺很自由，討人喜歡。我從小就喜歡鐵路多於汽車。因為鐵路上有別人，有社會。

3

小學三年級的時候，一九七〇年的暑假裡，父親開車開了五百多公里，帶我們去大阪參觀了世界博覽會。那是在一九六四年的東京奧運會以後，全日本都好期待的國際性活動。許多人從東京坐剛開通不久的新幹線去了大阪。我也好憧憬據說跟子彈一樣快的新式列車，但是我家孩子多，那年排行第五的弟弟正在母親的肚子裡，坐新幹線去會很麻煩，費用也會非常貴，所以我們還是塞在父親開的小車子裡去了。

夏天的大阪特別熱，只比夏天的臺北好一點點而已。那年，大弟四歲，妹妹還不到兩歲，母親挺著大肚子，一家六口排隊參觀一個一個場館實在不容易。可是，我們每人手裡有一本所謂的「世博會護照」，是進一個場館就給你蓋一個印章的，和真正的護照上蓋出入境圖章一樣。我恨不得拿那本護照，到各個國家的場館去蒐集更多的印章。比我大兩歲的哥哥，從小跟我性格完全不同，乖乖的，沒有蒐集印章的欲望。父母拿我沒辦法，只好叫我自己去逛會場。我會看看哪個場館外邊的人龍比較短，容易進去。反正，我感興趣的主要是不同國家的印章，而不是裡面的展覽，所以去哪個場館並不重要。

4

就這樣，我自己進入了一個東歐國家的場館，好像是匈牙利。裡面有什麼展覽，我現在一點都不記得了，卻忘不了那場館裡賣著一種食品，是當地風味。我很想嚐一嚐，所以跟母親要了錢買來吃。上面有白色的醬，看起來像生日蛋糕上的鮮奶油，可是吃起來一點也不甜，反而酸酸的。現在回想，應該是酸奶油，可當時的我就是吃不慣，非得偷偷的扔掉，生怕母親知道了以後會罵我浪費錢。沒有錯，我是浪費了錢，但我是被它的異國情調所吸引，就是想嚐一嚐，吃不慣都心甘情願，因為吃不慣的東西更加充滿異國情調。

那天，我似乎生平第一次摸到了世界的門。那兒是沒人排隊的冷門場館，賣的食品味道很奇怪。我一個人站在微暗而稍冷的屋子裡，暗自感到興奮，好比發現了父母都不知道的祕密。世界的入口在哪裡？我大概是那個時候開始尋找的。

5

上了初中以後，我看了許多日本人寫的旅遊文學。也許跟大阪世博會上的經驗有關吧，對大家想去的美國、英國、法國等，我始終不太感興趣。反之，東歐、西班牙，還有南太平洋上的島嶼新喀里多尼亞等比較少人去的地方，會刺激我的旅遊夢想。

不過，無論如何夢想，當時的我是沒有條件去國外的。一九七〇年代的日本，出國旅遊剛開始流行。但那是新婚夫妻去度蜜月，或者考取獎學金去留學，又或者農民賣土地忽然發了財等，在種種特殊的情況下才可行的大事業，而並不是小孩子說了父母就會答應的事情。所以，我初中時候的初步計畫是：儘量在日本國內去單獨旅行。我深信旅行會打開世界的門。

6

從高中一年級開始，我每逢學校假期，都會買當年日本國鐵的周遊票，並預訂青年旅社的床位，單獨旅行一個星期。

第一次旅行的目的地是日本海邊的金澤市和能登半島。我從小在日本東南部的太平洋岸上長大，沒看過西邊夕陽從海平面落下的風景。想像日本海那一頭的朝鮮半島和中國大陸叫我很興奮。日本是島國，除非渡海，否則我們是出不了門，到不了國外的。而半島是在島國裡面最接近世界的地方，我從此對半島情有獨鍾。

高中畢業以前，我經歷了五、六次的單獨旅行，只有一次和一個女同學一起去了日本最大的湖泊琵琶湖。結果我覺得沒有單獨旅行好玩，因為單獨旅行才能夠真正離開平時的生活、平時的自己，也能夠嘗到孤獨的滋味。

在沒有人認識我的環境裡，試圖扮演跟平時有所不一樣的自己，或者稍微調整一下原有的個性，我認為那才是旅行的樂趣。所以，去哪裡並不重要，但有朋友在身邊，哪好意思臨時改變人格？人家會以為我不是騙子就是神經病。

平時的生活是在父母給予我的環境裡進行的。離開那環境意味著我會進入另一個世界。但是，世界的入口究竟在哪裡？

7

我生平第一次出國是大學二年級的夏天，到北京參加了四個星期的漢語進修班。那是早稻田大學中文系的同學們透過旅行社，跟北京華僑補習學校聯繫而策劃的行程。

一九八二年的北京，跟當年的東京很不一樣，和現在的北京也完全是兩回事了。不過，對我來講，關鍵在於中國是外國，也許可以通往世界。

在眾多國家裡面，為什麼選擇中國？最直接的原因就是早一年春天上大學的時候，作為第二外語，我選修了漢語。那究竟為何選擇了中文？是因為我覺得中國很親近，也因為我覺得中國好遙遠。大概「遙遠」的感覺更加重要，畢竟我尋找的是世界的入口。

關於一九八二年夏天在北京的經歷，我在《獨立，從一個人旅行開始》那本書裡有一個章節專門講述，所以在這兒不贅述了。總而言之，那四個星期的經驗，對我有了非常大，可以說是關鍵性的影響。所以，我勸所有年輕朋友，若有機會一定要去國外。

在許多忘不了的經驗裡面，最重要的大概是有一天晚上，我去北京火車站看見了一班列車正往莫斯科出發。那個時候，我深刻體會到了：中國是歐亞大陸上的國家。從北京出發，可以通過西伯利亞平原到莫斯科，在那兒換車，就能去柏林、巴黎、羅馬、倫敦、阿姆斯特丹。那晚，目送著國際列車，我由衷受了感動。就是在那剎那，我發現了世界的入口。

8

世界的入口，當然並不限於北京火車站的國際列車月臺。我估計，其實任何地方都可以成為世界入口。例如，我丈夫說，他在臺北萬華找到了世界的入口。萬華只是一個繁華區，使那兒成為世界入口的，不外乎是他在那兒的某些具體經驗。我當時沒有跟他在一起，所以不知道到底發生了什麼事情。可是，我還是能想像：一個人，一個年輕人，生平第一次真正離開自己從小熟悉的環境，到一個完全陌生的地方，經歷之前想都沒想過的事情。那時候在他面前，一個通往全新世界的大門對他敞開。或者至少看得到世界入口的把手了。

世界上有很多不同的國家、不同的語言、不同的民族，我們從小就聽說過。然而，不是在書本上、不是在電視上、不是在螢幕上，而是在現實中，自己親身體會到的時候，你大概才會看到世界的入口。

9

從前的人，因為交通工具沒有今天發達，沒有條件去國外旅行。但是，有不少人還是通過旅行進入了世界。

比方說，日本十七世紀的江戶時代，有一個俳人叫做松尾芭蕉。他是歷史上最有名的俳人，甚至有俳聖（俳句聖人）的別名，很多人應該都聽說過。芭蕉四十五歲的時候，帶著一名徒弟，往日本本州島北部，也就是在二〇一一年三月十一日的大地震中嚴重受災的東北地區徒步出發，然後花上七、八個月時間，總共走了兩千四百公里路，後來出版了一本《奧之細道》（有中譯叫《奧州小道》）記錄那趟旅行，不僅成為松尾芭蕉的代表作，也是日本紀行文學的代表作。

芭蕉這個人挺有趣的。他本名叫松尾宗房，做了俳人以後，改名為松尾桃青。他三十六歲的時候去到江戶（即今天的東京），在一個叫深川的河邊小村子蓋小屋，獨自住下來。有一天，一個徒弟送給了他一株芭蕉。誰料到，那株芭蕉就在他院子裡繁茂起來了。芭蕉這種植物，一般是在熱帶、亞熱帶地區繁殖的。他徒弟帶來的那株芭蕉，估計是有人從琉球，也就是今天的沖繩帶過來的。總之，由日本人，尤其是十七世紀的江戶人看來，它充滿著異國情調。芭蕉生性愛旅行，對異國事物的憧憬特別強烈。所以，看到自己的院子裡有熱帶植物繁茂起來令他很高興，從此便自稱為松尾芭蕉了。

松尾芭蕉寫的《奧之細道》收錄於日本中學的古文課本，許多日本人對書中的文章和俳句都相當熟悉。序文是這樣開始的：月日是百代過客，流年又是旅人。這一句話表達的思想，其實不是他的獨創，而是取自中國唐代的詩人李白的〈春夜宴桃李園序〉：「夫天地者，萬物之逆旅；光陰者，百代之過客。」逆旅是旅館的意思，李白是說：世界是萬物的旅館，時間則是永遠的旅人。

江戶時代的日本文人對中國古代文學的造詣相當深，把唐詩、宋詞當世界古典來鑑賞，松尾芭蕉有不少俳句也引用了李白、杜甫等的作品。除了序文開頭以外，《奧之細道》中還有一個特別有名的俳句作品：夏草萋萋，武士長眠留夢跡。那也是根據杜甫〈春望〉的「國破山河在，城春草木深」而寫的。

芭蕉一輩子做了好幾次旅行，雖然都是在日本國內，但是他的思想卻超越了時空的限制，跟唐朝時期的李白、杜甫相應。顯而易見，文學作品會成為世界的入口。也不僅是文學作品，應該說，任何形式的藝術以及宗教等，都會提供世界的入口。

10

儘管如此，我還是想強調旅行的意義，旅行的有效性。李白之所以把世界比作旅館，把時間比作旅人，跟他自己的旅行經驗一定有關係。芭蕉之所以把歲月比成旅客，也是他自己控制不住漂泊之欲望，正要啟程的時候。

十八世紀英國的貴族，讓孩子讀書完畢以後，最後送到歐洲大陸的義大利、法國等地方去旅遊了幾個月到幾年，叫做壯遊（Grand Tour），算是教育性的成年禮。可見，旅行對個人成長的意義，早就是世界公認的。

11

我們為什麼要尋找世界的入口？或者說，通過那個入口，我們究竟要到達什麼地方？

這裡我想舉一個例子。十七世紀的松尾芭蕉居住的地方，也就是今天的東京都江東區深川，二十世紀又出了一個重要文人，叫川田順造，是位著名的文化人類學者。他把結構主義大師克勞德・李維史陀的《憂鬱的熱帶》翻譯成日文，自己又花了很長時間在非洲做了田野調查，從巴黎第五大學獲得了博士學位。

我最近看了他兩本散文集《從江戶＝東京的下町——往被經歷過的記憶之旅》和《母親的聲音、河流的味道——圍繞著一個幼年和未生之前的記憶之斷想》頗有感觸，因為這位大知識分子說，他選擇文化人類學這門專業，並且去法國、非洲做多年的研究，最初的動機就是想要遠離自己的背景。

十七世紀松尾芭蕉曾居住的深川，位於離德川幕府所在的江戶城，也就是今天日本天皇住的皇宮，隔了一條河的地方。當地居民是各行業的匠人、工人、商人或者漁民，換句話說是堂堂正正的良民、老百姓、庶民，但都不是壟斷統治階層的武士。

江戶時代的日本是封建社會，有士農工商的身分制度。十九世紀的明治維新以後，則把原來的武士階層封為貴族。到了一九四五年第二次世界大戰結束，由美國代表盟軍占領日本，才取消了身分制度。深川居民是追溯到十七世紀的老江戶，是他們把江戶城的庶民文化繼承過來的，但是，住在河西臺地上江戶城裡的武士、貴族、官員等，對於河東低地的居民一直保持看不起的態度。

這條河現在叫做隅田川，江戶時期則叫大川，河西的臺地叫做「山手」，河東的低地則稱為「下町」，海拔的高低跟居民的地位成正比。一九二三年東京大地震的遇難者，一九四五年東京大空襲的受害者，都主要是下町的居民。因為那裡海拔低，除了容易受水災，木造小房子密集，一旦發生火警就容易延燒起來。

12

一九三四年出生，畢業於日本最高學府東京大學的川田教授，曾經年輕的時候，對自己的家庭背景有劣等感、自卑感，所以離鄉背井去歐洲、非洲各待了七年。在熱帶大草原上，跟當地人生活在一起，學會他們的語言，吃喝跟他們的一樣的東西，然後才能夠研究他們的神話。那無疑是一段很困難的過程，但久而久之，還是適應過來了。文化人類學者說，他真正沒想到的是，好不容易適應了之後，非洲式生活變成了日常生活，當初那麼充滿異國情調的種種細節，都逐漸失去新鮮感，不久就要進入司空見慣、見怪不怪的境地了。

這個時候，他想起來了自己曾嫌棄的東京下町深川的庶民文化，個中獨有的味道和質感。於是回到久違的故鄉去，開始訪問老鄰居、父母的老朋友等。漸漸的，他發現了自己兒時那麼熟悉，但青年時期故意丟掉的江戶市井文化，包括傳統音樂、民間信仰、眾多節日等等，都跟著過去幾十年來日本人生活方式的現代化、都市化、西方化而幾乎消失了。

今天的東京居民，大多是自己或父母一代才從鄉下搬來東京住的。相比之下，川田順造是第八代的老江戶，再加上在巴黎受過文化人類學的訓練，也有在非洲做田野調查的經驗。所以，當寫起東京深川的歷史和文化時，他的雙眼似乎望遠鏡和顯微鏡兼備，既有理論的框架又有感情的基礎，令人佩服不已。

不過，由我看來，最難得的是，曾經對故鄉感到自卑的文化人類學者，在異鄉過了許多年以後，不僅克服了當初的劣等感，而且重新發掘了對故鄉深厚根本的愛。人去旅行，為的不外是回來。旅行的最終目的地始終是最初的出發點，即故鄉。否則的話，那不叫做旅行了，該稱為自我放逐。我估計川田順造在非洲的大草原上發現了世界的入口，從那裡進去，他踏上了回到自己家鄉之路。

13

講回我自己吧！

二十歲的夏天，生平第一次出國，在北京火車站國際列車月臺發現了世界入口以後，我決定正式去中國留學，在北京和廣州共讀了兩年書。更重要的是，那兩年裡我不停走訪大江南北：從北京往東北，到內蒙古、甘肅省，沿著絲綢之路去新疆，然後從青海越過海拔五千公尺的高山到西藏拉薩，從雲南經過四川下長江，去了湖南、湖北，從浙江又沿海往福建、廣東南下，一直到海南島三亞的天涯海角鹿回頭。中國給了我很多很多次旅行的機會。

我的中文就是往大陸各地的旅途上，通過跟來自各地的中國旅客日復一日的交談學到的。兩年留學完畢後回來日本，但是漂泊慣了還想漂，於是接著又去加拿大、香港，前後過了十二年的海外生活。中間也去了美國、英國、法國、瑞士、葡萄牙、荷蘭、奧地利、捷克、匈牙利、古巴、越南、新加坡等地旅行。

就是在那漫長的旅途上，我逐漸跟那個不知天高地厚但恨不得闖世界的小女孩告別，踏上了成人之路。過十多年回到日本的時候，親朋好友都還記得我，但是我已不記得從前的自己了。

14

小時候住在東京，路是窄的，房子是矮的。現在住在東京，路是寬的，房子是高的。東京變了，我也變了。人生最重要的一些事情，我都是在一個人旅行的路途上學到的。

只要認真尋找世界的入口，你一定找得到世界。因為世界本來就屬於大家，世界也屬於你。但是為了進入世界，首先你得一個人離開家，出了一個門以後，才能入另一個門。這是肯定的。不用怕。人去旅行，為的是回來。我認為，只有旅人才能真正找回故鄉，並用雙手緊緊擁抱它。

——原載自《旅行，是為了找到回家的路》，大田出版，二〇一五

褚阿北的哲學蹲馬步

問題：我們是如何認識世界的？

我們生活在這個世界上，就真的認識世界嗎？

如果想認識世界，你要用什麼方法？

認識世界的方法不只一種，但是對於新井一二三來說，這個認識世界的方法應該叫做「旅行」。

如果我們隨便問十個孩子，長大以後想不想去環遊世界？我相信其中有九個半會毫不猶豫的回答「想！」

但是為什麼長大以後，真正實現夢想去環遊世界，過著旅行者生活的人，卻是那麼的少呢？

「新井一二三是誰？」

「她為什麼會這麼說？」

這是我們在學習邏輯思考時，要進行「深化（deepening）」這個步驟時，需要回答的問題。當然，你也可以說這叫做「換位思考」的能力，跳脫自己的生活現實、價值觀，去理解「旅行」這件事。

很多人誤以為，旅行是那種有錢有閒，含著銀湯匙出世的天之驕子才能做的事，其實我除了伴隨父母家人旅行，或是參加婚喪喜慶之外，大部分的旅行，都是藉由讀書或是工作的機會實現的，沒有向家人伸手借過一分錢去留學，也沒有花錢參加過遊學團，更不覺得旅行的夢想和求學、事業有什麼衝突，反而是實現夢想的良機！

我從小就是想要環遊世界的孩子中，最平凡不過的那一個，唯一不同的是，當大部分人隨著成長變得現實世故時，我卻一直活在環遊世界的夢想中。

所以在求學時期，就藉著念書的機會，去了新加坡、日本、美國，甚至馬紹爾群島、俄羅斯、埃及；出了社會以後，工作的場所更是從美國印地安的部落到絲綢之路，從伊朗的清真寺到緬甸的佛寺，如果認真算起來，至少去了八、九十個國家，如果你覺得這很困難，我覺得那是因為你的腦筋動得不夠快的緣故，絕對不是機會不夠多——否則以我這樣一個從小到大從來沒有當過班長，沒有考過第一名，更沒有中過任何幸運大獎，連call-in都從來沒接通過的普通人來說，任何千載難逢的機會，是沒有我的份的。

因為喜歡旅行，所以讀書時，總找可以旅行的書來念，當許多人大學努力準備要去美國深造的時候，我卻「反向操作」考慮著到底應該去埃及還是西伯利亞留學，原因很簡單：要不是有讀書當作後盾，我怎麼有可能去這些神祕的地方，住上個半年一年，學習當地語言，並且了解它們的風土人情呢？

因為喜歡旅行，所以找工作的時候，下定決心只找可以旅行的工作。當我臺大和哈佛的同學們，一一朝著外交官、科技新貴、財金專家的路途邁進時，我卻選擇了當一個非營利性組織的管理顧問，原因也是相同的：要不是藉著工作的機會，我這輩子怎麼會有機會到金三角去幫忙蓋孤兒院，或是到亞利桑那州的印地安部落去研究麋鹿的生態呢？

如果只是為了有人能夠付錢讓你去環遊世界的話，成為一個普通的管理顧問，或是在大型的企業或管理顧問公司工作就好了——當然我也經歷過這樣的階段，或許我還是會被派駐在北京、上海，在高科技產業中拚鬥廝殺；或許我還是會去東京巴黎參加研討會，在談判桌上馳騁得意；而且飛的還是寬敞的商務艙，而不是我現在坐的經濟艙；住的也會是五星級飯店，而不是朋友家的客廳沙發；甚至薪水還會比現在多出一倍，還有股票可以分，但重點是：這真的是我要的嗎？

找到一個可以旅行的工作，其實真的很簡單，士農工商軍公教各行各業都有，我的傳教士朋友就去了非洲肯亞；在上海時幫我打掃，湖南鄉下來沒念過書的小保母憑著一雙摸著出生的小雞雛尾巴就能分辨公母的功夫，也以「特殊才能」的身分拿到了綠卡移民到美國去了，但是人的一輩子有限，每天二十四小時裡面，吃飯睡覺就占了八個小時，如果工作時間又至少占了八個小時，剩下不到三分之一的時間，真的能夠用來實現夢想的又有多少？

因為這樣想，所以希望能找到一個又能夠幫助別人，又能夠實現夢想的專業工作，同樣每個月領一份薪水，一天工作八個小時，工作總是在世界各地出差旅行，這不就等於一天二十四小時都活在夢想中了嗎？即便薪水少一點，住的簡陋一點，飛機座位擁擠一點，還是比很多大明星、大老闆快樂吧？

對於只把工作當成一份工作的人來說，就像只把念書當作義務的學生，那是多麼不快樂的人生啊！稍遇不如意就叫做挫折失敗，對我來說，挑戰卻像是玩線上遊戲闖關；當其他人數著奉獻青春換來的鈔票、股票和頭銜時，我數的卻是飛行里程、趣味和「不虛此生」的滿足感。

如果每個人從學生時代，就能開始為自己夢想中完美的生活型態量身訂做，準備為了做這份工作所需要具備的專業能力，那麼這份工作就非你莫屬了。雖然這個世界上，跟我同樣專職做一個「NPO Management Consultant」的人，屈指可數，但是那又有什麼關係呢？難道我名片上面印著CEO、執行長、董事長，我就會變成一個比現在更有學問、更善良的人嗎？

我的工作和旅行能夠兼顧的原因，是因為我將它們結合在一起了。

但是寫作也是我一輩子的夢想，為什麼我卻沒有選擇把寫作跟工作結合呢？

原因很簡單：了解每一個行業的極限。

我知道我如果藉著工作旅行的話，不但有固定的收入，還有伴隨著工作而來的豐富生活經驗，讓我可以沒有後顧之憂的當一個想寫什麼、就寫什麼的作家；但是一旦我成為一個專業旅遊作家的話，除了寫旅遊指南外，大概就只能成為萬中選一的暢銷作家了，但是我並不想花一輩子的寶貴時間，修訂一本又一本的旅遊指南，也不希望自己為了要成為暢銷作家，而犧牲旅行的時間去推銷自己、販賣自己。更何況，我對於自己成為一個好管理顧問，比成為暢銷作家更有信心。

人生充滿了選擇，尤其當夢想不只有一個的時候，除了了解每一個行業的極限外，還要了解自己的極限。換句話說，要對於自己是塊什麼樣的料子，有客觀和正確的了解，尤其在面臨抉擇的時候，我們都不希望被過度的自負或是自卑所蒙蔽了。

及早把自己未來的路想清楚，開始清單式列出符合夢想的工作，針對每一個有可能的工作所需要的條件，按照自己的能力規劃出實際可行的步驟，來準備相符的學歷和經歷，這不但是人生規劃的訣竅，讓自己可以立刻開始朝著夢想出發，也是說服父母從你的反對者成為「粉絲」最好的方法喔！

你也認為旅行是世界的入口嗎？但你不是阿北，也不是新井一二三，所以你要尋找適合自己的世界入口。首先，你要能夠回答：「我是誰？」然後，你要回答：「我為什麼會這麼想？」這就會是真正屬於你自己的答案了！

成長與學習必備的元氣晨讀

文／親子天下執行長　何琦瑜

源於日本的晨讀活動

一九八八年，身為日本普通高職體育老師的大塚笑子。在她擔任導師時，看到一群在學習中遇到挫折、失去學習動機的高職生，每天在學校散漫恍神、勉強度日，快畢業時，才發現自己沒有一技之長。出外求職填履歷表，「興趣」和「專長」欄只能一片空白。許多焦慮的高三畢業生回頭向老師求助，大塚笑子鼓勵他們，可以填寫「閱讀」和「運動」兩項興趣。因為有運動習慣的人，讓人覺得開朗、健康、有毅力；有閱讀習慣的人，就代表有終身學習的能力。

但學生們還是很困擾，因為他們根本沒有什麼值得記憶的美好閱讀經驗，深怕面試的老闆細問：那你喜歡讀什麼書啊？大塚老師於是決定，在高職班上推動晨讀。概念和做法都很簡單：每天早上十分鐘，持續一週不間斷，讓學生讀自己喜歡的書。一開始，為了吸引學生，她會找劇團朋友朗讀名家作品，每週一次介紹好的文學作家故事，引領學生逐漸進入閱讀的桃花源。

沒想到不間斷的晨讀發揮了神奇的效果：散漫喧鬧的學生安靜了下來，他們上課比以前更容易專心，考試的成績也大幅提升了。這樣的晨讀運動透過大塚老師的熱情，一傳十、十傳百，最後全日本有兩萬五千所學校全面推行。正式統計發現，日本中小學生平均閱讀的課外書本數逐年增加，各方一致歸功於大塚老師和「晨讀十分鐘」運動。

臺灣吹起晨讀風

二〇〇七年，《親子天下》出版了《晨讀10分鐘》一書，書中分享了韓國推動晨讀運動的高果效，以及七十八種晨讀推動策略。同一時間，天下雜誌國際閱讀論壇也邀請了大塚老師來臺灣演講、分享經驗，獲得極大的迴響。

受到晨讀運動感染的我，一廂情願的想到兒子的學校帶晨讀。選擇素材的過程中，卻發現適合十分鐘閱讀的文本並不好找。面對年紀越大的少年讀者，好文本的找尋愈加困難。對於剛開始進入晨讀，沒有長篇閱讀習慣的學生，的確需要一些短篇的散文或故事，讓少年讀者每一天閱讀都有盡興的成就感。而且這些短篇文字絕不能像教科書般無聊，也不能總是停留在淺薄的報紙新聞，才能讓這些新手讀者像上癮般養成習慣。如果幸運的遇到熱愛閱讀的老師和家長，一些有足夠深度的文本還能引起師生、親子之間，餘韻猶存的討論。

我的晨讀媽媽計畫並沒有成功，但這樣的經驗激發出【晨讀10分鐘】系列的企畫。在當今升學壓力下，許多中學生每天早上到學校，迎接他的是考不完的測驗卷。我們希望用晨讀打破中學早晨窒悶的考試氛圍。每日定時定量的閱讀，不僅是要讓學習力加分，更重要的是讓心靈茁壯、成長。在學校，晨讀就像在吃「學習的早餐」，為一天的學習熱身醒腦；在家裡，不一定是早晨，任何時段，每天不間斷、固定的家庭閱讀時間，也會為全家累積生命中最豐美的回憶。

第一個專為晨讀活動設計的系列

帶著這樣的心願，二〇一〇年，我們開創了【晨讀10分鐘】系列，邀請知名的作家、選編人，陸續推出：知名文學作家張曼娟老師選編《成長故事集》、文學大師廖玉蕙老師所主編的《幽默故事集》和《親情故事集》、兒童文學作家王文華老師選編《人物故事集》、鑽研少年小說的張子樟教授選編《文學大師短篇作品選》、音樂才子方文山先生選編《愛．情故事集》、文學評論和政論家楊照先生選編《世紀之聲演講文集》、《天下雜誌》群總編集長殷允芃女士選編《放眼天下勵志文選》、自然觀察旅遊作家劉克襄先生選編《挑戰極限探險故事》、閱讀專家柯華葳教授選編的《論情說理說明文選》、詩人楊佳嫻與鯨向海選編的《青春無敵早點詩：中學生新詩選》、閱讀專家鄭圓鈴教授主編的《閱讀素養一本通》、臺灣最熱血的大學教授葉丙成選編的《我的成功，我決定》、品學堂創辦人黃國珍選編的

《你的獨特，我看見》，以及關心運動與社會議題的獨立媒體人黃哲斌選編的《運動故事集》，提供給中學生更豐富的閱讀素材。

二〇一九年，一〇八課綱正式上路，課程設計和評量都將以「素養」導向進行調整，將來的學生不僅要學習知能，更要為適應現在生活、面對未來挑戰，培養解決各種問題的能力。為此，我們推出了《世界和你想的不一樣》、《科學和你想的不一樣》二書，《世界和你想的不一樣》的選編人褚士瑩，長時間在國際參與NGO工作，帶回許多新穎、發人省思的議題；而《科學和你想的不一樣》的選編人「泛科學」，以生活化的題材解析艱澀的科學理論，選文不僅符合閱讀素養中強調的「跨領域」、「文本生活化」，更在資訊超載的時代，為少年讀者提前預備「思辨」的能力。

延續「素養」的精神，這次我們特別邀請《閱讀理解》學習誌的編輯團隊，為兩本書量身設計《閱讀素養題本》。這也是【晨讀10分鐘】系列成立以來，首次嘗試題本的設計，用意不在於測試孩子讀懂多少，而是要用系統化的方式，帶領孩子理解文本，並融合自身經驗深入探究，才能真正達到吸收內化的目的。

推動晨讀的願景

在日本掀起晨讀奇蹟的大塚老師，在臺灣演講時分享：「對我來說，不管學生在哪個人生階段……，我都希望他們可以透過閱讀，讓心靈得到成長，不管遇到什麼情況，都能勇往直前，這就是我的晨讀運動，我的最終理想。」

這也是【晨讀10分鐘】這個系列出版的最終心願。

放下成見，開啟自己的無限可能

文／楊宗翰（「空屋筆記」專欄作家）

如果說，要找一件海外經驗教會我最重要的事情，那麼應該就是讓我意識到：這世界並不是非黑即白，還存在很大一部分的灰色。

我從大學開始有機會接觸不同的世界，大二在臺灣走路環島，大三到印度用沙發衝浪旅行，大四到歐洲搭便車跟打工換宿，最後到了克羅埃西亞，一邊乖乖當交換生去學校上課，一邊暗地裡跟一群無政府主義者們占領空屋，搞社會運動。

我經歷了很多臺灣不會有的體驗，也認識了很多不一樣的人。印度有治安很好的地方，德國也有浪漫得天花亂墜的夢想家，各式各樣的人都有；透過認識這些不一樣的文化、不一樣的人，我漸漸了解到我來自什麼樣文化的國家，以及我是什麼樣的人。

很幸運的是，在看過了不同角度的世界後，我也真的找到自己想做的事，或是更貼切的說，找到了「自己應該要做的事情」，我開始邀請世界各國的旅人來拜訪臺灣的學校，跟學生分享。

這些外國旅人不教英文，我們試著讓他們跟學生分享不同國家的文化或是旅人們自己的故事。我們試著邀請各式各樣不一樣的人，讓學生們知道——這個世界和他們想的不一樣。

《晨讀10分鐘：世界和你想的不一樣》裡面收錄了許多突破大家對不同國家、文化、族群刻板印象的故事。而對我來說尤其重要的，是書中不斷的邀請讀者一起思考，整本書專注於提出問題，而不是強硬的灌輸答案。

臺灣人從小所受的教育，從童話故事到自然科學、文化歷史，幾乎所有的人與事，都必須馬上被分類成好與壞、對與錯。任何知識或訊息，似乎必須盡速的分類到各自的圈圈裡。

我認為二分法是很嚴重的問題，這個世上絕大多數的事物，本來就沒有絕對的是非善惡，而蠻橫的歸類，會讓我們錯失更多理解事物的機會，我很希望多一點年輕人能夠在學生時期就習慣二分法以外的思考方式。

放下心中的成見，跟著這本書，試著想像自己是這個世界上其他角落的各種人物，然後去思考這個廣大世界上的各種可能性吧！

晨讀10分鐘系列 033

[中學生]
晨讀10分鐘
世界和你想的不一樣

選編人｜褚士瑩
作者｜米蘭．昆德拉、新井一二三、曾寶儀等
繪者｜林韋達

責任編輯｜李幼婷
美術設計｜謝捲子
行銷企劃｜葉怡伶

天下雜誌群創辦人｜殷允芃
董事長兼執行長｜何琦瑜
媒體暨產品事業群
總經理｜游玉雪
副總經理｜林彥傑
總編輯｜林欣靜
行銷總監｜林育菁
副總監｜李幼婷
版權主任｜何晨瑋、黃微真

出版者｜親子天下股份有限公司
地址｜臺北市104建國北路一段96號4樓
電話｜（02）2509-2800　傳真｜（02）2509-2462
網址｜www.parenting.com.tw
讀者服務專線｜（02）2662-0332　週一～週五：09:00~17:30
讀者服務傳真｜（02）2662-6048
客服信箱｜parenting@cw.com.tw
法律顧問｜台英國際商務法律事務所．羅明通律師
製版印刷｜中原造像股份有限公司
總經銷｜大和圖書有限公司　電話：（02）8990-2588

出版日期｜2019年6月第一版第一次印行
　　　　　2024年6月第一版第十六次印行
定　價｜320元
書　號｜BKKCI006P
I S B N｜978-957-503-420-7（平裝）

訂購服務
親子天下Shopping｜shopping.parenting.com.tw
海外・大量訂購｜parenting@cw.com.tw
書香花園｜臺北市建國北路二段6巷11號　電話（02）2506-1635
劃撥帳號｜50331356 親子天下股份有限公司

國家圖書館出版品預行編目(CIP)資料

晨讀10分鐘：世界和你想的不一樣 / 米蘭.昆德拉等作；林韋達繪；褚士瑩主編. -- 第一版. -- 臺北市：親子天下, 2019.05
288面；14.8×21公分. -- (晨讀10分鐘系列；33)
ISBN 978-957-503-420-7(平裝)

815.93　　108007392